MW00790905

El faro de los acantilados

1.ª edición: febrero 2013

© Del texto: J. L. Martín Nogales, 2013
© De la ilustración: Albert Asensio, 2013
© Grupo Anaya, S.A., 2013
Juan Ignacio Luca de Tena, 15. 28027 Madrid
www.anayainfantilyjuvenil.com
e-mail: anayainfantilyjuvenil@anaya.es

Diseño: Gerardo Domínguez

ISBN: 978-84-678-4048-3
Depósito legal: M-7-2013
Impreso en España - Printed in Spain

Las normas ortográficas seguidas son las establecidas
por la Real Academia Española en la nueva
Ortografía de la lengua española, publicada en el año 2010

Reservados todos los derechos. El contenido de esta obra está protegido por la Ley,
que establece penas de prisión y/o multas, además de las correspondientes
indemnizaciones por daños y perjuicios, para quienes reprodujeren, plagiaren,
distribuyeren o comunicaren públicamente, en todo o en parte, una obra literaria,
artística o científica, o su transformación, interpretación o ejecución artística fijada
en cualquier tipo de soporte o comunicada a través de cualquier medio,
sin la preceptiva autorización.

El faro de los acantilados

J. L. Martín Nogales

Ilustración
Albert Asensio

Índice

α. Un hombre ha desaparecido 11

β. La llave misteriosa 21

γ. Los secretos del baúl 36

δ. En la guerra y en el amor 43

ε. El engaño del hombre desnudo 49

ζ. La fuente escondida 52

η. La primera pista 62

θ. Un descubrimiento 68

ι. El viejo molino 78

κ. De noche le mataron 92

λ. La hora clave 104

μ. ¿Quién es esa mujer? 109

ν. Un encuentro a medianoche 119

ξ. El Punto Cero 130

ο. El medallón de los sueños 139

π. Un trabajo peligroso 152

ρ. Consecuentes como una brújula 157

σ. Tiempo de silencio 162

τ. Unos ojos que espían 165

υ. El lugar secreto 171

φ. La hora decisiva 186

χ. Una sombra 189

ψ. El cajón escondido 193

ω. Un mensaje en la botella 198

A Miguel y Alba,
la luz del faro.

α

Un hombre ha desaparecido

Todavía recuerdan en El Faro el desconcierto de aquella
mañana de otoño en la que desapareció el joven maestro.
Con las carteras en la mano, los chicos de la escuela estuvieron esperando en la calle, con esa actitud rutinaria que impregna de
despreocupación los gestos que se repiten cada día. Al principio sintieron una leve euforia por la tardanza del maestro;
pero al pasar el tiempo se fue extendiendo en el grupo un
sentimiento de confusión. Entonces, se sentaron en las escaleras y estuvieron aguardando en silencio, deseosos de que aca-
bara la espera. La brisa de la mañana traía el olor salado del
mar y algunas gaviotas chillaban en el aire, balanceándose por
las ráfagas del viento.

Blanca, que estaba apoyada junto a la puerta de la escuela,
fue la primera en reaccionar. Dijo que había que ir a la casa
del maestro, porque podía haberse quedado dormido; o quizá se había puesto enfermo por el frío de las nieblas de aquellos días húmedos. Algunos la siguieron; llegaron a la casa y
durante un rato gritaron su nombre parados delante del portón. En aquella mañana de brumas solo se oía el siseo de la
brisa y los gritos de sus voces pronunciando el nombre del
maestro. Varias veces golpearon la aldaba de la vieja puerta
de madera que daba acceso a la vivienda, con el temor que
impone saber que se pisa un territorio ajeno. Nadie contestó
a sus llamadas; así que el grupo se fue disgregando poco a

poco, como un rebaño que se mueve desorientado en medio de la campiña.

En el pequeño pueblo, la noticia se fue conociendo con la lentitud con la que se mueven los barcos veleros en unas aguas en calma. Hasta el mediodía no se comentó en las casas la ausencia de Alonso, el joven que había llegado hacía dos años a aquella aldea y que emprendió la instrucción de los poco más de treinta chicos que pudieron juntarse entre todas las casas desperdigadas del pueblo, adolescentes que solo conocían el mar y los campos que se extendían desde las rocas ariscas de la costa hasta los bosques. Aquel era su mundo y su destino: la pesca durante los días que las aguas no estaban embravecidas, la tala de los árboles y el pastoreo de las vacas que rumiaban indolentes la hierba de las colinas.

Cuando al atardecer los muchachos volvieron a encontrar cerrada la puerta de la escuela, los pescadores, que estaban reparando las redes en el embarcadero, comprendieron que algo grave podía haberle ocurrido a Alonso. Dos de ellos dejaron entonces los aperos de la pesca tirados en el suelo y se dirigieron hacia la casa del maestro para averiguar lo sucedido.

—En el tiempo que lleva viviendo aquí no ha dejado de abrir ni un solo día la escuela —comentó el padre de Blanca.

—Sí que es extraño —añadió el otro, lacónico.

Eran gentes poco habladoras, sobrias, introvertidas; así que desde entonces ninguno de los dos volvió a hablar mientras subían aprisa hacia la aldea, ensimismados en sus cavilaciones, preocupados por lo que podía haber ocurrido.

Se plantaron delante de la casa, sin atreverse a entrar, gritaron varias veces su nombre desde la calle, mirando hacia la ventana del primer piso, y permanecieron atentos a cualquier sonido que alterase la calma de aquella tarde húmeda. La niebla hacía rodar el eco de sus llamadas por la colina, pero pronto se hundía en el silencio profundo del mar. Se miraron desconcertados y con un leve movimiento de la cabeza se indicaron que no había más remedio que entrar en la casa de aquel hombre, al que trataban siempre con un respeto reverencial.

—Vamos —dijo el padre de Blanca mientras entraba en el portal, animando al otro a subir las oscuras escaleras de madera que había enfrente.

La sala a la que accedieron estaba en penumbra y vacía. Con prevención, se acercaron a la alcoba.

—¡Alonso! ¿Estás ahí? —preguntaron, como una disculpa que justificara su presencia en esa casa ajena.

Miraron en todos los rincones; entraron en la amplia cocina que tenía el fogón adosado a una de las paredes; se asomaron al agujero negro de la chimenea. Pero todo fue inútil. Porque Alonso, el maestro, no estaba allí. No estaba enfermo ni dormido. Simplemente, no estaba. Había desaparecido.

*

He vuelto a estos acantilados en los que hace años ocurrieron aquellos sucesos que nadie pudo explicar entonces. De pie, sobre la cima de piedra, he contemplado las aguas enfurecidas del mar sobre cuyas costas se levanta el pueblo pesquero aislado entre las brumas. He aspirado el aire que trae desde el mar el olor a las algas y moluscos que se agarran en las rocas. Es el mismo aliento que recuerdo de aquellos días de mi adolescencia en los que conocí lo que significa perder a una persona que se quiere. Entonces aprendí las primeras emociones del amor. Y supe también lo que es estar solo y encontrar a alguien a quien contar lo que más te preocupa. Al aspirar el sabor salado del aire, he recordado aquellos días lejanos en los que viví una experiencia que solo se puede vivir una vez: cruzar el territorio desconcertante de la pubertad. Contemplando el oleaje del mar que choca contra los acantilados, he recordado la incertidumbre que experimentó la gente del pueblo durante aquellos días lejanos en los que nada se sabía del hombre que había desaparecido.

Se hizo una batida por el campo, porque era probable que hubiera sufrido un accidente y tal vez estuviera caído en algún lugar, postrado y solo, incapaz de moverse. Se formó una larga hilera de gente que avanzaba en orden por la colina, separado cada uno apenas tres o cuatro metros del que caminaba a su lado. Algunas gaviotas chillaban asustadas sobre sus cabezas, viendo desde el aire esa gigantesca serpiente que se desplazaba lateralmente. Rastrearon así una amplia extensión. Miraron detrás de cada arbusto. Removieron los tupidos helechos y las hojas caídas que tapaban la tierra. Buscaron en los campos de maíz y debajo de las matas de los patatales que se amontonaban secas en los surcos de las huertas. Cruzaron la llanura, remontaron los ribazos y llegaron hasta los riscos pedregosos de la ladera que desembocaba en el mar. Rodearon el faro, y algunos más arriesgados se atrevieron a bajar por los acantilados para otear desde los salientes de las rocas. Pero conforme pasaban las horas sin encontrar ninguna pista, se fue apoderando de todos el desaliento. Un manto de sombras empezó a cubrir el campo antes de hacerse de noche definitivamente. Entonces regresaron todos a la aldea, preocupados por lo que podía haberle ocurrido al maestro.

*

El viento soplaba frío desde el mar. Blanca miraba a lo lejos la espuma que levantaba el bronco oleaje de la marea.

—¿Tú crees que el maestro se habrá despeñado por estas rocas? —le preguntó a Fátima, que estaba sentada a su lado.

—Puede... —dijo ella, encogiéndose de hombros.

Blanca y Fátima vivían en casas colindantes y por eso habían estado juntas desde niñas. Blanca tenía quince años y Fátima catorce. Esta tenía la cara redonda salpicada por algunas pecas. Se recogía el pelo con una cinta y sobre la frente le caía un flequillo que le llegaba hasta los ojos. Blanca era delgada y llevaba una melena rubia, que en aquella punta rocosa del mar el viento agitaba con fuerza.

—Quizá resbaló y se cayó al mar —intervino Yago, que, unos metros más allá, intentaba descender a un saliente del acantilado. A sus pies las olas golpeaban con rabia el arrecife.

—La marea pudo arrastrarlo después mar adentro —añadió David, que iba detrás de él.

Desde el día que desapareció Alonso, los cuatro amigos se acercaban a veces hasta la costa, para vislumbrar desde allí si aparecía la silueta de algún barco. Pero la Guerra Civil, que se estaba librando aquellos días, había alejado del litoral a los navíos y hacía meses que ninguna embarcación se acercaba por aquellas aguas sembradas de rocas puntiagudas.

Yago se colocó mirando de frente a las rocas, pegado a la pared vertical, agarrando con cada mano los salientes que dejaban las piedras. Fue bajando despacio, apoyando los pies en los agujeros de los peñascos que tanteaba a ciegas. Cuando estuvo cerca del saliente rocoso, se dejó caer de un salto. Luego miró hacia arriba y animó a David:

—Se puede bajar mejor por ese lado —le dijo señalando hacia otra parte de la pared.

—Yo bajo por donde has bajado tú —le contestó él.

Yago tenía quince años, y David, trece; pero si aquel hacía algo, este lo imitaba inmediatamente. David era así: curioso y decidido. Era el más joven de los cuatro y el más movido de todos. No podía estarse quieto. Y eso a Blanca le sacaba de sus casillas.

—¿Qué haces? —le reprochó Blanca mientras se levantaba para asomarse a donde estaba colgado David—. Que te vas a matar.

David estaba suspendido en un saliente de la peña, sobre un precipicio que acababa en el mar. Yago, de pie sobre los riscos, miraba hacia abajo, donde las olas chocaban con furia contra las rocas y levantaban bucles de espuma que se deshacían al caer.

—¿Sabes que en estas costas han naufragado muchos barcos? —le dijo a David cuando este acabó de bajar.

No hacía muchos años que se habían ahogado allí unos pescadores del pueblo. El oleaje arrastró su barco hasta las piedras. Un golpe de mar lo estrelló contra una roca que se escondía bajo el agua, cortante como un cuchillo. Rasgó el casco y lanzó al agua a los hombres. Unos días después aparecieron al otro lado de la costa tablas del barco, ropas desgajadas, restos del velamen, sogas y redes rotas. Pero no se encontró ningún cuerpo. El mar no devolvió los cadáveres de aquellos hombres, que sirvieron como alimento para los peces.

—Mi padre dice que estas aguas son un cementerio de barcos —añadió David—. Y que si pudiéramos llegar hasta el fondo del mar encontraríamos allí navíos antiguos de pueblos que venían desde lejos para conquistar estas tierras.

Los dos se quedaron mirando al horizonte gris, lejano y misterioso. Imaginaban que desde allí se acercaban a toda vela barcos que transportaban feroces guerreros armados con espadas, protegidos con escudos redondeados y con cascos que acababan en forma de cuernos. Hombres barbudos que hablaban lenguajes ásperos, ininteligibles y desafiantes.

—No deberíais estar ahí —les gritó Blanca desde arriba—. Es peligroso.

Ellos hicieron un gesto despectivo, pero Yago comenzó a subir, escalando la pared por el mismo sitio por donde había bajado antes, y David le siguió. Cuando llegaron arriba, Blanca comentó:

—Yo no creo que el maestro se haya caído al mar.

—¿Y dónde está entonces? —preguntó Yago.

—No lo sé, pero deberíamos buscarlo —sugirió Blanca.

—¿Dónde?

—En el pueblo. Seguro que hay alguna pista. Uno no desaparece sin más.

*

La escuela estaba cerrada. Desde el día que desapareció el maestro, nadie había entrado en aquel lugar que hacía años había sido establo de ganados, antes de que las gentes de la aldea lo limpiaran, abrieran ventanas, pintasen las paredes y ordenaran dentro los pupitres y sillas que llegaron en un destartalado camión. Los cuatro empujaron inútilmente la puerta trancada. Rodearon después el edificio hasta llegar a la pared en la que había tres ventanas. David se apoyó en el alféizar de la primera intentando ver el interior. Agarró el postigo, que estaba desajustado, y lo agitó con fuerza tratando de desatascar la cerradura. Con los golpes, el hierro resbaló en la madera carcomida y se abrió uno de los ventanales. Los cuatro se miraron sorprendidos.

—¿Entramos? —preguntó David.

—No —replicó al instante Fátima—. Yo no entro.

A Fátima todo le asustaba y jamás se decidía a hacer algo que entrañara un mínimo riesgo.

David empujó las dos hojas de la ventana, puso el pie en el alféizar y de un impulso saltó al interior. Tras él saltaron Blanca y Yago.

La luz que entraba por la ventana abierta iluminaba la parte posterior del aula con un halo tenue. La sala tenía un aspecto extraño, tan silenciosa y solitaria, ajena al bullicio de los días escolares. Avanzaron los tres con sigilo hacia la pizarra por el pasillo central que formaban las mesas. Andaban despacio, como quien pisa un suelo inseguro, como si temieran despertar el misterio dormido entre aquellas sombras. Enseguida se dispersaron por los pupitres, como si necesitaran reconocer esos muebles que eran la rutina diaria de aquellos años.

Yago se detuvo mirando la pizarra. Cuando giró la cabeza, vio a David sentado en su silla, como tantas veces. Y sin embargo se asombró, como si ocupar el asiento vacío en esas circunstancias rompiera el espacio inviolable de aquella aula deshabitada. David golpeó rítmicamente con las manos sobre el pupitre.

—¿Qué haces? —le increpó Blanca.

Y él dejó entonces de golpear, se levantó y avanzó por el pasillo hacia la pizarra. Revolvió las tizas, empujó los mapas que se apoyaban enrollados junto a la pared y removió los tacos de poliedros que se amontonaban en la mesa del maestro. Se puso a hacer con ellos una torre, pero al colocar encima la pirámide, se derrumbaron con estruendo.

—¿Qué ha pasado? —preguntó Fátima, asomando la cabeza por la ventana.

—David, que ha tirado los cubos —le explicó Blanca.

—¿Cuándo vais a salir? —preguntó de nuevo, preocupada.

David, mientras tanto, había abierto el cajón de la mesa del profesor. Nadie hasta entonces había tenido tal atrevimiento, así que miró con recelo a Yago, que se acercaba por el pasillo, y enseguida volvió la vista hacia el interior del cajón. Vio una libreta de tapas acartonadas, el viejo compás de madera que servía para hacer circunferencias en la pizarra, un lapicero y, al fondo, en un rincón, le sorprendió el brillo de una llave. Al cogerla, arrastró con ella un pequeño letrero de cartón que colgaba de una cuerda atada a la llave. Yago agarró el letrero y leyó en voz alta las palabras que tenía escritas con tinta roja:

—EL FARO —dijo—. Aquí pone: EL FARO.

—¿Qué faro? —preguntó Blanca—. ¿De dónde es esa llave?

En ese momento Fátima se asomó a la ventana:

—¡Alguien viene! —gritó.

Yago cogió la llave y la libreta, y las guardó en el bolsillo. Los tres se fueron aprisa hacia la ventana, saltaron a la calle y echaron a correr por el camino hacia el pueblo.

β

La llave misteriosa

Sentado en el borde de su cama, Yago abrió la libreta de tapas de cartón que habían encontrado en la escuela. Desde el cuarto oía el trajinar de su madre que preparaba la comida en el fogón, el ruido de cacerolas y hasta el crepitar del carbón ardiendo. Pero a él solo le interesaban en ese momento las letras escritas en aquellas hojas de papel grisáceo. Habían sido trazadas con pluma y tinta roja, y reconocía en ellas los rasgos con los que tantas veces había escrito el maestro en la pizarra. Se sobresaltó al oír el golpe metálico de una cazuela sobre la chapa de la cocina, cuando empezó a leer:

> *Desde el faro veo las aguas del mar como un inmenso foso que me aleja de las costas del otro lado del océano, en donde puedo encontrar refugio contra los que me persiguen. ¿Por qué estoy aquí? ¿Cómo he llegado a esta tierra arisca y embravecida? La respuesta está en el faro. Pero a veces me pregunto si mi trabajo servirá de algo para poner fin a esta maldita guerra.*

Estaba tan abstraído que no oyó los pasos de su madre mientras se acercaba por el pasillo.

—Vamos a comer —le dijo.

Entonces Yago cerró de golpe la libreta y se puso de pie con más rapidez de la habitual.

—¿Qué hacías? —le preguntó su madre.

—Nada. Cosas de la escuela... —contestó él, mientras dejaba la libreta oculta en el cajón de la mesilla.

*

El pueblo había recibido su nombre del faro que se levantaba en el vértice de la punta rocosa de la costa. Nadie sabía cuándo se construyó ese aviso para navegantes. Las gentes del lugar contaban que Dios empujó las rocas con su dedo desde la tierra y llevó la montaña dentro del mar para que detuviera la furia del oleaje. Contra aquellas rocas chocaban las olas enfurecidas. Ese peñasco, que entraba en el mar como una barbacana de la tierra adelantada en el océano, protegía de la furia del agua los surcos de los campos arados de los campesinos, defendía a los animales que pastaban en las colinas y libraba de la sal marina a los árboles de los montes cercanos. Contra uno de los lados del peñasco se estrellaba la ira de las olas; pero al otro lado, descendiendo hacia la orilla y lejos de la roca, había una pequeña cala, que era un remanso donde los hombres amarraban sus barcas de pescar.

Desde la antigüedad fueron llegando, hasta aquella esquina perdida del mundo, gentes de países lejanos que desconocían que el mar estaba claveteado de rocas ocultas bajo las aguas. Sus barcos se estrellaron contra ellas durante siglos. Hasta que en un tiempo que nadie podría precisar, los pescadores decidieron encender un fuego perpetuo que ardiera en la cima rocosa. Ese fuego dio origen al faro. Quienes lo veían desde el mar se alejaban para siempre de estas tierras, avisados del peligro que los acechaba bajo las olas.

Los cuatro iban subiendo la loma en dirección hacia los peñascos, sin perder de vista la silueta de esa antigua torre de piedra. Yago comentó:

—El faro ya estaba ahí antes de que se construyera el pueblo.

—¿Y tú por qué lo sabes? —lo interpeló David.

—Porque lo sé. Porque mi abuelo se lo contó a mi padre, y mi padre me lo contó a mí.

Caminaban aprisa en dirección al faro. Blanca iba delante. David se quedó rezagado unos pasos por detrás de los demás. Iba mirando al suelo, y en un momento se detuvo atraído por un guijarro redondeado, que tenía un agujero en el centro. Se agachó a cogerlo, lo observó curioso y se lo guardó en un bolsillo. Alcanzó a los demás y les dijo:

—Esa llave no puede ser de la puerta del faro.

—¿Por qué no? —le rebatió Blanca, volviéndose hacia él.

—Porque es demasiado pequeña.

—Pero puede ser de un arcón del faro, so listo.

—¿Y eso cómo lo sabremos? —intervino Fátima—. El farero no nos dejará acercarnos —añadió con tono temeroso.

El farero era un hombre arisco y solitario. Solo bajaba a la aldea alguna vez para comprar provisiones en la tienda. No hablaba con nadie, recogía las mercancías y se marchaba.

—No nos dejará entrar en el faro —insistió David.

—Eso ya lo veremos... —concluyó Blanca.

Ella era la que siempre tomaba las decisiones en el grupo. Y los demás la seguían. Sobre todo Yago. Eran los dos del mismo año, aunque él había nacido unos meses antes. Yago admiraba a Blanca y le gustaba estar con ella. Cuando se recogía el pelo, siempre dejaba unas mechas que le caían sobre los pómulos de la cara. Y ese pelo rubio balanceándose a ambos lados del rostro le gustaba a Yago. Nadie discutía las propuestas de Blanca. Yago el que menos. Y eso le fastidiaba a David.

Estaban escalando los últimos riscos de la senda que acababa en el faro. El viento soplaba fuerte y desde allí se oía más amenazador el furor del oleaje que chocaba contra los acantilados. Subían jadeantes, encorvados y levantando a ratos la vista hacia la torre del faro que tenían cada vez más cerca. Sentían miedo, percibiendo que pisaban un terreno prohibido. No sabían qué buscaban exactamente, ni sospechaban dónde se estaban metiendo.

Iban tan obcecados mirando al suelo que no vieron, hasta que lo tuvieron encima, al hombre que apareció por la derecha, detrás de ellos, oculto hasta entonces por una empalizada de piedras.

—¿Qué hacéis aquí?

Los cuatro se quedaron parados, mirándolo. Era un hombre fuerte. Se cubría la cabeza con un gorro de cuero con orejeras. Tenía el bigote y la barba de color gris, y la cara aceitunada, curtida por el aire. Vestía un pantalón de pana y un jersey de lana de color rojo oscuro, envejecido y con cuello alto. Estaba parado con firmeza, tenía una pierna ligeramente adelantada, sostenía una pipa encendida en la boca y los miraba desafiante.

—¿Qué hacéis aquí? —repitió más como reproche que como pregunta.

—Jugábamos —acertó a decir Blanca.

—Pues no deberíais estar aquí. Es peligroso. Podríais caeros por los acantilados y mataros.

Los cuatro estaban paralizados, porque el miedo a ese hombre arisco, encargado de cuidar el faro, los atenazaba. Se quedaron tan bloqueados que tampoco se les ocurría

nada que decir. Por eso se sorprendieron al oír comentar a
Blanca:

—En el pueblo se dice que el maestro pudo haberse matado por aquí.

El farero la miró sorprendido.

—No lo creo —contestó con un tono dubitativo, como si
hubiera sido descubierto en algo que solo él podía conocer.

—Dicen que lo vieron por estos acantilados...

—¿Ah sí? —exclamó, levantando la cabeza desafiante—.
¿Eso dicen? ¿Quién es el que lo dice?

—Se dice por ahí... —comentó Blanca, sin saber cómo salir
de ese interrogatorio en el que ella misma se había metido—.
Pero nosotros no hemos visto nada.

—¡No os quiero volver a ver por aquí! —cortó el farero,
haciendo un gesto con la mano para señalarles el camino de
vuelta hacia el pueblo.

—Es que... encontramos esta llave —acertó a decir Yago,
mientras la sostenía en la mano y se la enseñaba, intentando
aplacar la ira del farero.

Él la cogió y, al verla, pareció sorprenderse.

—¿Queréis saber lo que abre esta llave? —les preguntó.

Se les quedó mirando fijamente.

—Venid —dijo.

Comenzó a andar hacia el faro, y ellos lo siguieron en silencio, atemorizados.

*

La puerta del faro estaba trancada. El farero la abrió con
una llave que llevaba en el bolsillo de la chaqueta de pana.
Era diferente de la que ellos habían encontrado en la escuela.

Empujó la puerta, que chirrió oxidada, como si fuera la cancela de una mazmorra.

—Pasad —les ordenó.

Entraron en una estancia en penumbra, que tenía forma circular. El farero fue hacia una ventana ovalada que había en la pared de enfrente; abrió el ventanuco y la habitación se inundó de una extraña niebla luminosa.

—Un día, el maestro vino al faro. Se sentó ahí —les dijo señalando un banco de piedra adosado junto a la pared—, y estuvimos largo rato hablando.

—¿De qué hablaron? —se interesó Blanca. Pero al ver la cara de enojo del farero, se arrepintió al momento de haber preguntado.

—¿Quieres saber de qué hablamos? ¿Eso es lo que quieres? —la miró irritado—. Pues no fue de lo que iba a suceder hoy; ni de lo que ocurrió ayer. ¡Ni de la maldita guerra que nos está volviendo locos a todos! —exclamó subiendo el tono de voz. Calló un momento y añadió—: Hablamos de algo que pasó hace muchos miles de años.

—Entonces no se preocupe, señor; quizá no importe ahora —intervino Yago, intentando aplacarlo.

—Sí importa —dijo volviéndose hacia él—. ¿Sabes por qué? Porque hablamos de las palabras. Al maestro le interesaban las palabras. Esa era su arma —hizo un silencio—. ¡Qué sabréis vosotros de eso...! —los increpó, mientras los recorría uno a uno con la mirada, inclinado casi a su altura, apuntándolos con el dedo acusador—. Las palabras a veces dan vida y a veces matan.

—A nosotros también nos interesan las palabras —habló Blanca sin saber muy bien lo que quería decir.

—¿Ah sí? —la miró sorprendido—. ¿Os interesan, eh?

El farero hizo un silencio, y se quedó pensativo, antes de añadir:

—Pues os contaré algo. Sentaos ahí —les ordenó, señalando el banco de piedra pegado a la pared.

Los cuatro se pusieron juntos en el banco, al lado de una cocina de hierro en la que el farero preparaba su comida. Él arrastró una silla y se sentó con el respaldo delante y las piernas abiertas, frente a ellos.

—Imaginaos este lugar en el que estamos —comenzó a decirles—, pero hace tres mil años. La Península Ibérica era entonces un conglomerado de tribus: astures, cántabros, vascones, iberos, fenicios, celtas. ¿Os lo imagináis?

Hizo una pausa mientras los miraba fijamente, pero ninguno se atrevió a decir nada. Continuó entonces con un tono desafiante:

—Os interesan las palabras decís... Pues algunas de las que utilizaban aquellas gentes hace casi tres mil años seguimos usándolas hoy. Llamaban «matas» a las plantas de tallo bajo, como nosotros. Y nombraban al barro «barro». Y cuando descargaban las nubes inmisericordes, lo llamaban «chaparrón». Todas esas son palabras de origen vasco, que es la única lengua que ha sobrevivido de todas las que hablaban aquellas tribus asentadas en la Península mil años antes del nacimiento de Cristo. ¿Lo sabíais?

—No —dijeron todos al unísono, negando con la cabeza, sin saber muy bien de qué les estaba hablando.

—Y cuando esos pueblos fueron sustituidos por otros —continuó contándoles el farero—, cuando fueron barridos por el vendaval del paso del tiempo, que todo se lo lleva, quedaron vivas las palabras. Desaparecieron sus casas y las piedras con las que construyeron sus muros; pero nos dejaron los nombres para llamar a las cosas: «páramo», «balsa», «arroyo», «cigarra»...

Se detuvo un momento y los miró antes de seguir:

—De esto le gustaba hablar a Alonso; y yo lo escuchaba, como vosotros a mí ahora.

Ellos se miraron desconcertados. Estaban perplejos. ¿De qué les hablaba aquel hombre? ¿Es que había perdido el juicio?

—¿Habéis oído hablar del latín?

Los cuatro asintieron con la cabeza.

—Os estoy hablando de antes del nacimiento de Cristo, cuando los romanos dominaban casi toda Europa y llegaron hasta la Península. Aquí encontraron minas de oro, de plata, de cobre y de hierro, y campos de cereales y puertos de mar para sus navíos. Por eso se quedaron en estas tierras durante más de seiscientos años. En ese tiempo, los moradores de Hispania aprendieron el latín, que era la lengua de los comerciantes y de los soldados romanos que se habían instalado en la Península.

Yago miró a Blanca y le hizo un gesto, levantando las cejas, queriendo preguntarle si ella tenía alguna idea de por qué les estaba contando aquello. ¿Qué tenía que ver eso con la desaparición del maestro? Pero Blanca no le contestó; y mientras, el farero seguía hablando:

—Hasta que en el siglo v llegaron oleadas de pueblos guerreros desde el norte de Europa. Les llamaron los bárbaros. Uno de esos pueblos, los visigodos, conquistó la Península. Pero se latinizaron: aquellas gentes dejaron de hablar su lengua y asimilaron la del pueblo que habían conquistado. Sin embargo, aún hoy nos quedan algunas palabras suyas. En estos tiempos de guerra, las palabras «guardia», «arenga», «ronda» o «espía» se las debemos a los visigodos. Y eso no lo saben los soldados que están muriendo no muy lejos de aquí...

Blanca miró de reojo a Yago.

—Su padre está en la guerra —le dijo al farero.

Y hubo un momento de silencio.

Hacía más de dos años que había estallado la Guerra Civil. Al otro lado de las montañas explotaban los cañonazos de los morteros, aunque su estallido no se oyese en aquellas costas apartadas y tranquilas de la Península. Pero cada día morían cientos de hombres en las trincheras que ellos mismos habían cavado con picos y palas en la tierra húmeda. El padre de Yago estaba en el frente; él no lo había visto desde que se fue hacía más de dos años; y ni siquiera sabía si continuaba vivo aún...

—No te preocupes —le dijo al muchacho—. Volverá pronto; pronto acabará esta maldita guerra.

Pero esas palabras no consiguieron espantar los recuerdos tristes que Yago tenía en la cabeza. Se quedó abstraído pensando en su padre.

El farero, mientras, les contaba que con el paso de los siglos, el latín se fue hablando de distinta manera en cada territorio. Y surgieron tantas diferencias, que acabaron formándose lenguas distintas: el italiano, el francés, el rumano, el castellano, el gallego, el portugués, el catalán...

—Todas proceden del latín —les dijo.

El farero no paraba de hablar, pero Yago oía su voz como un murmullo. Se preguntaba por qué se habían encerrado allí con un hombre que parecía estar loco y que les hablaba de algo que nada tenía que ver con el motivo por el que se habían acercado hasta aquella punta rocosa de la costa. Si aquel hombre estaba trastornado, podía meterlos en algún peligro...

Mientras él hablaba, Yago volvió a pensar en cómo estaría su padre en esos momentos, combatiendo entre trincheras embarradas del frente. Oyó que el farero hablaba entonces de la guerra y volvió a prestar atención. Pero enseguida se dio cuenta de que se refería a otra guerra más antigua.

—El año 711 los árabes iniciaron la conquista de Europa. Atravesaron el estrecho desde África y en poco tiempo ocuparon toda la Península. Conquistaron las tierras a los visigodos, desde Al-Ándalus hasta los Pirineos. Y en ellas se quedaron durante más de setecientos años. Tanto tiempo cómo no iba a dejar huellas...

Miró hacia la ventana, observó las nubes que manchaban el azul del cielo y añadió con tono evocador:

—Gracias a los árabes decimos hoy «cénit», «alquimia» y «alambique»; conocemos el nombre de algunas plantas: «azucena», «azahar», «alhelí»; y decimos «alfombra» y «aceite». Con ellos aprendimos a hacer «aljibes», «acequias» y «norias»; acuñamos el «maravedí»; compramos en el «zoco»; construimos «alcobas», «azoteas» y «zaguanes»; aprendimos qué era el «laúd», el «rabel», el «timbal» y la «trompeta».

—¿Todas esas palabras son árabes? —se extrañó Blanca.

—Esas y muchas más.

Yago se volvió a mirarla, sorprendido de que se interesara por lo que les estaba contando el farero.

—Pero quedó un pequeño reducto visigodo en el norte —siguió diciéndole—, en los montes asturianos, que los árabes no pudieron ocupar. En aquellas grutas de Covadonga se inició un largo proceso de reconquista del territorio peninsular a los musulmanes, que iría cuarteando la Península en reinos: asturiano, leonés, castellano, aragonés, navarro... En aquellos siglos nació la lengua castellana, entre los montes cántabros y el río Pisuerga, en una tierra salpicada de fortalezas defensivas.

—Castillos —le dijo David a Yago en voz baja.

—Por eso se llamó a esa tierra Castilla —añadió el farero—, que literalmente significa «castillos» en latín. Sus habitantes eran los castellanos; y su lengua, el castellano. Aquel era un territorio fronterizo, y la lengua, una lengua de frontera, que podía convertirse más fácilmente en la lengua de todos.

El farero calló un momento y los fue mirando uno a uno. En las paredes de piedra de aquella sala gélida rebotaba su voz ronca. Los cuatro adolescentes lo escuchaban atónitos, sin saber por qué les estaba contando aquellas historias lejanas. No entendían qué tenía que ver todo eso con la desaparición del maestro. Blanca observaba al farero con recelo. Fátima bajó la vista, ante la mirada dura de él. Yago se removió inquieto en el banco, mientras el farero les decía:

—Hay un monasterio en La Rioja, dedicado a San Millán, y otro en Burgos, en Santo Domingo de Silos, en donde se conservan dos códices del siglo X. Están escritos en latín, pero los monjes que los copiaron hicieron anotaciones al margen del texto, explicando cómo se decían algunas palabras en la lengua que entonces se utilizaba en la calle. Esas palabras son los primeros balbuceos que se conservan escritos de la lengua castellana.

El farero se levantó de la silla y volvió a mirar por el ojo ovalado de la ventana hacia el horizonte infinito del mar.

—Hoy la voz de aquellos hablantes del primitivo castellano nos llega como un murmullo lejano, borroso pero emocionante. Son nuestras primeras palabras. Los primeros balbuceos de nuestra propia voz.

El farero se volvió y se acercó a ellos de nuevo. Se puso frente a Yago y lo miró con los ojos muy abiertos. Acercó tanto su cara, que a Yago le produjo temor aquella mirada de loco. El farero lo observaba fijamente, como si solo le hablase a él:

—La Reconquista de las tierras hispanas a los árabes iba a durar más de setecientos años. Los ejércitos fueron avanzando desde los montes astures, cruzando los campos de la meseta castellana, hasta llegar a la loma de la Alhambra de Granada. Siete siglos construyendo castillos, tramando alianzas, levantando catedrales, maquinando traiciones, regando de sangre los surcos que después removería el arado.

Levantó el farero la cabeza y miró a través de la ventana las nubes que se acercaban lentas, como inmensas bolas de algodón movidas por el viento de los siglos.

—No sé si podéis imaginaros el sonido de las herraduras de los caballos contra el empedrado de las calles, el tañido de las campanas en las catedrales, los rezos gregorianos de los monasterios, los golpes metálicos del martillo contra el yunque en las forjas que fabrican las espadas, el laúd en los salones de piedra fríos de los castillos, tratando de consolar a las damas que añoran al esposo que pelea lejos y que tal vez no regrese nunca. ¡Todo eso es la Edad Media! —exclamó el farero—. ¿No lo oís?

Y se calló, como si en su cabeza aturdida estuvieran resonando al mismo tiempo todos aquellos sonidos. Volvió a mirarlos de cerca, uno a uno, antes de seguir:

—Pues no importa, si no lo oís. Porque en ese tiempo había ya una lengua para contarlo, y hoy podemos leerlo con aquellas palabras de antaño, que son nuestras palabras.

El farero dio media vuelta y se dirigió a sentarse en la silla. Entonces añadió:

—De estas cosas hablaba el maestro. Todo esto es lo que me contaba.

Sacó el reloj que llevaba en un bolsillo delantero del pantalón, atado con una pequeña cadena brillante. —¿Sabéis la hora que es? —Se asombró de repente, poniéndose de pie. Los miró con dureza y les ordenó tajante—: Tenéis que volver aprisa a vuestras casas. Pronto comenzará a anochecer, y es peligroso. Podríais perderos si os sorprende la oscuridad en estos acantilados. También vosotros podríais desaparecer y que nadie os encontrara.

γ
Los secretos del baúl

Entró en la cocina y cogió el tazón de leche caliente que su madre le dejaba cada día junto al fogón. Con la despreocupación rutinaria de todas las mañanas, ahogó trozos de pan en la leche y se los comió despacio. Cuando terminó, volvió a su cuarto, abrió el cajón de la mesilla y cogió la libreta. Ya no tenía la llave, porque se la había quedado el farero sin revelarles de dónde era. Se sentó en la cama y comenzó a leer de nuevo lo que había escrito el maestro antes de desaparecer:

> *Son necesarios los esfuerzos de muchas personas para construir una historia. Cada uno no es más que la punta de un iceberg en un mundo de afanes compartidos. Todos somos consecuencia de quienes nos precedieron y causa de los que vendrán después. A veces me pregunto qué me hizo como soy. Cómo acabé desempeñando la misión que cumplo cada día en esta guerra que no sé cuándo va a terminar. La respuesta está en el arcón de los libros, porque la vida es un crucigrama de historias cruzadas que van componiendo palabras a veces imposibles: amor, felicidad, fortuna.*

Desde la calle sonó la voz de Blanca que lo llamaba a gritos. Yago se asomó a la ventana y vio a los tres esperándolo.

—¡Ya voy! —gritó.

Escondió el cuaderno, cogió la chaqueta de lana y bajó corriendo las escaleras.

—El maestro escribió en la libreta algo de un arcón —les dijo.

—¿Un arcón de qué? —preguntó Blanca.

—No sé. Un arcón de libros o algo así.

—En la escuela todos los libros están en un armario —intervino David.

—Pero en el cuaderno ponía «arcón».

—El arcón estará en la casa del maestro —apuntó Blanca—. ¿Dónde va a estar si no?

—En la casa del maestro no podemos entrar —añadió Fátima.

—¿Por qué no? —se le encaró David.

Fátima no supo darle una respuesta, y se quedó en silencio. Entonces terció Blanca:

—Porque está cerrada, listillo.

La mañana era más fría que en los días anteriores. Yago observó a lo lejos los tonos amarillentos de las hojas de los árboles. El verde de los pinares se mantenía intacto en los montes, pero en la ladera parecían encendidas como brasas las hojas de los robles.

—Tenemos que volver al faro —dijo Blanca—. El farero oculta algo.

—Se quedó con la llave —añadió Yago—; y no nos dijo de dónde era. Además, ¿a qué venía enrollarse ayer con las historias que nos contó?

—El farero sabe algo que no quiere que sepamos nosotros —insistió Blanca.

Los miró entonces con el gesto firme que mostraba cuando estaba convencida de que había que actuar. Así era Blanca: decidida. Cuando estaba convencida de que había que hacer algo, lo hacía inmediatamente y arrastraba a los demás con ella. Movió el brazo, señalando el camino que conducía a los acantilados, y les dijo:

—Vamos a pedirle que nos devuelva la llave. Porque esa llave no es de él. A lo mejor abre la casa del maestro... Estaba en la escuela. Y la encontramos nosotros.

Enfiló hacia el faro y los demás la siguieron, aunque no lo hicieron de buena gana.

No encontraron a nadie por el camino. Aquel era un lugar apartado para las gentes de la aldea. Solo conducía a las paredes abruptas de los acantilados que se hundían en las aguas del mar. Nadie se acercaba a los salientes escarpados de las rocas, que eran inhóspitos y peligrosos. Solo alguien propenso a la soledad y al aislamiento podía vivir allí.

Al llegar al faro, se pararon frente a la puerta, a una distancia prudencial. Todos miraron a Blanca que se adelantó decidida, golpeó la puerta y volvió atrás. Esperaron un momento inmóviles, escuchando el estruendo de las olas que rompían contra los peñascos. Nadie respondió a su llamada, así que Blanca se adelantó unos pasos de nuevo, dispuesta a golpear más fuerte. Pero antes de que chocara el puño en la madera, la puerta comenzó a abrirse y apareció el hombre de la barba, que la miraba serio desde el interior. Tenía una mano levantada y en ella sostenía la llave que se había quedado el día anterior, agitándola mientras se la enseñaba.

—Os estaba esperando —les dijo—. Seguidme.

Ellos obedecieron sumisos y entraron con timidez en la sala donde habían estado antes.

—¡Vamos! —les urgió, al ver que se paraban en la entrada.

Junto a la ventana nacía una escalera que subía pegada a la pared. No tenía barandilla y los escalones eran tan estrechos que en ellos no cabía más que una persona. Subieron los cuatro en fila, detrás del farero, y llegaron a una sala que era igual a la del piso de abajo, pero estaba amueblada de tal manera que se parecía poco a ella. Las paredes estaban pintadas con un suave color de espiga seca; el suelo lo alfombraba un manto vegetal que parecía de cañas trenzadas; y la luz entraba por las cuatro ventanas circulares que se abrían hacia los cuatro puntos cardinales. Aquel era el cuarto de estar del farero; y si los cuatro no hubieran estado tan atenazados por el temor que les infundía aquel hombre de voz ronca, habrían podido observar la alacena con jarras y cerámicas; el cómodo sillón de cuero, ladeado junto a una ventana; la cama adosada a la pared de enfrente; el candil encima de la mesa; y los objetos marinos que decoraban las paredes: un timón, un remo, una sirena que había sido mascarón de barco y una pequeña red colgada en unos clavos de hierro sobre la chimenea. Pero en lo que sí se fijaron en aquel momento fue en el mueble que había delante, justo enfrente de la escalera, pegado a la pared. ¡Allí estaba el arcón del que se hablaba en la libreta!

—Prueba a ver... —le dijo el farero a Blanca, entregándole la llave y señalando el baúl que todos estaban mirando.

El baúl era de madera y tenía empotrada una cerradura de hierro que sujetaba el enganche de la tapa. Blanca se adelantó, cogió la llave y la encajó en la cerradura. Cuando todos oyeron el clic metálico con el que se abrió el pestillo, se miraron expectantes.

—¡Libros! —exclamó Blanca—. ¡El arcón de los libros!

Y empezó a remover otros objetos que había dentro.

—Una brújula —dijo, enseñándosela a los demás—. Y hay más cosas —añadió—. Una regla, una carpeta, una soga, un reloj de cadena... ¿Y esto qué es? —le preguntó al farero, entregándole un rollo de papel envuelto como un pergamino. Él cogió el recio papel de estraza, lo desplegó y lo estuvo mirando un rato.

—Parece el plano de algún lugar de la costa.

Los cuatro se acercaron a mirar ese plano que alguien había dibujado con tinta roja, en el que se veían marcados algunos lugares del litoral. No entendieron qué significaba; y tampoco le prestaron más atención. Una cierta euforia se había apoderado del grupo. Volvieron a colocarse alrededor del baúl, y cada uno cogió algún objeto mientras se lo enseñaba a los demás. Estaban tan entusiasmados con el descubrimiento, que nadie se dio cuenta de que la llave con la que habían abierto aquel baúl no era la misma que encontraron en la escuela. Tampoco Yago, que la había tenido durante más tiempo. Era muy similar y llevaba colgado el letrero de cartón con las palabras EL FARO de la llave auténtica.

*

Estuvieron un rato revolviendo los objetos del baúl. Los libros estaban marcados con tinta roja en el lomo, cada uno con una letra del alfabeto griego: α, β, γ, δ, ε... Yago recordó las palabras que había leído en el cuaderno: en ese baúl se encontraba la razón por la que el maestro había ido a parar a ese pueblo. Se preguntó entonces si aquel hombre habría ocultado allí algo que nadie sospechaba.

Mientras los demás se pasaban los objetos que iban sacando del baúl, Yago pensaba que el maestro no había tenido un accidente. Alguien pudo haberle hecho desaparecer. No sabía quién ni por qué, pero intuía que ese baúl encerraba algún mensaje que podía revelarles los motivos. Si era así, su desaparición no fue por azar. El maestro presentía lo que podía sucederle y quiso dejar alguna pista que revelara quién lo hizo. Al fin y al cabo, pensó, ¿qué sabían de él? Tenía menos de treinta años. Era delgado, de cara alargada y con una mirada penetrante. Casi siempre llevaba una bufanda anudada al cuello. ¿Qué más podrían decir del hombre que había desaparecido? Era tan reservado que nunca les contaba nada de su propia vida. ¿Cómo era en realidad? ¿Dónde había estado antes?

—Este baúl esconde alguna clave —dijo Yago, y todos se volvieron a mirarlo.

El farero fue el primero que reaccionó. Les contó que el maestro le había comentado más de una vez que las respuestas sobre su vida estaban en esos libros. Cogió uno al azar y se lo enseñó a los cuatro. Pasó las hojas ante ellos y todos se quedaron sorprendidos al descubrir cómo algunas palabras de esas páginas estaban subrayadas. Además, en los márgenes el maestro había escrito signos y letras con tinta roja.

—¿Qué significan? —preguntó Blanca.

—No lo sé —respondió el farero.

Yago aventuró entonces su teoría:

—A lo mejor son mensajes en clave.

El farero les dijo que sí, que seguramente tendrían un significado y que lo mejor era buscar el sentido de esas anotaciones. Eso les daría alguna pista de dónde podría estar el maestro. Inmediatamente cogió cuatro libros y le dio uno a cada uno, encargándoles que buscaran cualquier señal que pudiera ser un indicio del paradero de aquel hombre que tan misteriosamente había desaparecido.

δ

En la guerra y en el amor

Durante varios días, Yago se levantaba, desayunaba, se sentaba en su cuarto frente a la ventana y allí se pasaba las horas, leyendo el libro que le había entregado el farero, que estaba marcado en el lomo con la letra griega α. Contaba una historia tremenda, que ocurrió hace mucho tiempo, en el siglo XI, cuando la Península Ibérica estaba ocupada por los árabes. Entonces, uno de los mayores castigos que podía imponerse a alguien que viviera en uno de los reinos cristianos era echarle de sus tierras y obligarle a abandonar su casa y su familia para siempre.

Eso es lo que le ocurrió a un tal Rodrigo Díaz de Vivar. Fue tan buen guerrero que hasta sus enemigos se dirigían a él como Sayyid, Cid, Señor. El rey de Castilla había muerto asesinado y por ello heredó el trono su hermano Alfonso. El Cid obligó al nuevo rey a jurar, ante la cruz de la ermita de Santa Gadea, que él no había participado en ese crimen. El rey lo juró, pero inmediatamente le condenó a abandonar sus tierras, como castigo por su desconfianza. Desde entonces el Cid cabalgó con los guerreros que quisieron acompañarle, desterrado, lejos de su casa, de su mujer y de sus hijas. Y la guerra estaba en aquel tiempo por todas partes.

—Pero hay algo que quiero enseñaros —dijo Yago.

Pasados unos días, los cuatro amigos habían vuelto al faro y él les reveló ante el farero:

—He encontrado un mensaje del maestro en el libro.

El farero intervino inmediatamente, como si quisiera distraer la atención de lo que había dicho Yago:

—Si vosotros hubierais vivido en esa época ¿sabéis a lo que os dedicaríais? —preguntó, desconcertándolos.

Sentados sobre la alfombra vegetal, en la habitación del primer piso, los cuatro volvieron el rostro hacia el farero. Yago pensó que aquel hombre a veces parecía tarumba.

—En la Edad Media la gente se dividía en tres estamentos —continuó hablando el farero—: clérigos, caballeros y campesinos. Los primeros rezaban; los segundos iban a la guerra; y los terceros cultivaban unas tierras que no eran suyas, porque pertenecían al señor feudal que les daba protección. Así fue durante mucho tiempo.

—Yo sería caballero —comentó David, volviéndose hacia Yago.

—Pues yo obispo —le dijo este en voz baja, inclinándose hacia él con un gesto de burla.

—Solo los clérigos y algunos pocos hombres cultos sabían leer y escribir —añadió el farero—. Por eso las gentes no leyeron ese libro que tú has leído, sino que lo escucharon. Había unas personas que se llamaban juglares, que iban por los pueblos y contaban historias como esa.

—He encontrado un aviso del maestro en el libro —volvió a intervenir Yago.

Pero el farero no le hizo caso y, sospechosamente, siguió hablando como si no le hubiera oído:

—Imaginaos al juglar recitando en medio de la plaza las hazañas de ese hombre a las gentes que se han colocado a su alrededor.

Trazó con la mano un círculo en el aire y comenzó a hacer gestos mientras les hablaba imitando a un juglar, braceando con un énfasis excesivo y un poco lunático, hasta que se acercó a la mesa sobre la que estaba el libro que había dejado Yago, lo cogió y enseñándoselo con el brazo extendido, les dijo:

—El juglar cuenta aquí cómo el Cid ha sido obligado a dejar su pueblo injustamente.

Yago pensó en el maestro, que también había desaparecido del pueblo, aunque nadie sabía las razones de su ausencia. ¿O tal vez el farero sí las sabía?

—El juglar hablaba del Cid a las gentes de entonces; y les decía que era un hombre honrado, valiente, temeroso de Dios y leal al rey —el farero enfatizaba cada palabra de forma exagerada—; un padre amable, fiel esposo y amigo de sus amigos. Esos eran los valores que admiraban aquellas gentes.

Dejó el libro en la mesa, dio unos pasos y se quedó mirando por la ventana. Desde allí dijo:

—La literatura también es propaganda. Los juglares hacían propaganda de sus héroes en las batallas que se estaban librando en aquel tiempo. El maestro lo sabía bien, porque ese era su oficio.

Ninguno de los cuatro entendió entonces lo que el farero les estaba revelando en ese momento. Estaban distraídos con la historia del libro y no se percataron de la importancia de lo que acababa de decir. Él que era un hombre arisco, aunque ellos no lo apreciasen, se esforzaba para no mostrarse tan áspero con ellos. No podía evitar su voz ronca; y a veces clavaba su mirada en los ojos inocentes de los muchachos. Pero al instante suavizaba el gesto, como si estuviera intentando ganarse su confianza. ¿Qué pretendía comportándose así con aquellos ingenuos adolescentes? Yago volvió el rostro hacia Blanca con un gesto de desconcierto. El farero se había quedado de pie, dándoles la espalda, mirando hacia el mar, cuyo eco llegaba amortiguado a aquella habitación en la que iban entrando poco a poco las sombras de la atardecida. Blanca le hizo una señal a Yago para que volviera a hablar de la pista que había encontrado, pero antes de que él pudiera intervenir, se volvió el farero y les dijo:

—La Edad Media es un largo período de siete siglos en guerra. En aquel tiempo la guerra lo llenaba todo. Igual que ahora. Los hombres vivían en la guerra. Y las mujeres se quedaban solas. Hacia el año 1100, una mujer llora la separación de su amado y lo cuenta así, con aquella lengua todavía primitiva:

Vaisos, amores,
de aqueste lugar.
¡Tristes de mis ojos
y cuándo os verán!

—Porque la literatura —añadió el farero— también es consuelo. Cuando uno está triste, se lo cuenta a alguien y se desahoga. Y si está alegre, canta. Así ha sido siempre.

El farero calló un momento. Los cuatro lo miraban atentos, y parecía que él los había enredado ya en sus disquisiciones. Los desviaba hacia temas que los apartaban de lo que ellos estaban buscando. ¿Por qué lo hacía? ¿Qué pretendía de aquellos muchachos que se estaban metiendo sin darse cuenta en un terreno peligroso?

—He encontrado una pista que dejó el maestro en el *Cantar de Mio Cid* —dijo Yago con un tono de voz más elevado que hasta entonces.

—¿Y cómo no lo has dicho antes? —le reprochó el farero, que lo miró abriendo mucho los ojos, mostrando sorpresa, con el mismo gesto que habría compuesto un chalado. O un hábil mentiroso.

Yago había descubierto en el libro que siempre que aparecía escrita la palabra «agua», el maestro la había subrayado con tinta roja. Y no solo eso, sino que en el margen, junto a la línea en la que aparecía escrita, había dibujado un símbolo, que era un punto rodeado por dos círculos concéntricos. Entonces se preguntó qué significaba esa coincidencia. ¿Tenía algún sentido o era solo una casualidad?

—Siempre es la misma palabra —se dirigió al farero—. Siempre la palabra «agua». Menos en un caso, en el que está subrayada la palabra «font».

—Así se decía «fuente» en castellano medieval —aclaró el farero.

—¿Y eso qué sentido puede tener? —preguntó Blanca.

—Alonso vivía rodeado de mensajes en clave —comentó pensativo el farero—. Su mundo eran los secretos.

Ellos no se percataron de la importancia de esa revelación. De hecho, cuando pronunció esas palabras, no pudieron oírle bien, porque David había hablado al mismo tiempo, levantando la voz:

—¡Yo sé dónde está ese símbolo! —gritó eufórico.

Todos se volvieron a mirarlo. David se levantó, fue hacia el baúl, revolvió los libros que quedaban en él, buscó entre los objetos que se amontonaban en el fondo, cogió el plano y lo desdobló.

—¡Aquí está! —dijo entusiasmado.

Lo llevó donde estaban los demás sentados en la alfombra, y puso en el centro ese papel de estraza que días antes habían visto sin prestarle ninguna atención. Era un papel rectangular, de color marrón. Tenía los bordes irregulares, como si alguien lo hubiera recortado manualmente. Medía unos cincuenta centímetros por la parte más larga, pero estaba plegado dos veces, formando cuatro cuadrantes. Cuando David lo extendió en el suelo, la mirada de todos se concentró en el signo que tenía dibujado casi en el centro, que era idéntico al que Yago les había enseñado en el libro.

—Esto es el faro —dijo Blanca señalando con el dedo la torre que se alzaba en la punta rocosa que se adentraba en el mar. Y siguiendo el dibujo añadió—: Esta es la línea de la costa y aquí está la cala donde amarran los barcos los pescadores.

—Estos son los bosques —comentó David, señalando los árboles del plano—. Y este es el pueblo —dijo, apuntando a las cuatro casas esbozadas esquemáticamente.

—Y este signo es el que siempre está dibujado en el libro junto a las palabras «agua» y «fuente» —recalcó Yago, golpeando con el dedo índice sobre los círculos concéntricos.

—¡Es la fuente del pueblo...! —exclamó Blanca—. La fuente puede esconder algo que descubrió el maestro.

ε

El engaño del hombre desnudo

La fuente era una pared de piedras talladas, cuyo origen nadie conocía. Su construcción se remontaba a los años nebulosos en los que nació el pueblo. En aquellos tiempos remotos gentes antiguas llevaron hasta allí un manantial que brotaba en el monte, canalizando parte de su cauce hasta aquella explanada. Dos caños metálicos vertían el agua a una loseta cóncava día y noche durante todos los días del año. ¿Por qué el maestro había señalado en el plano ese punto? ¿Qué se escondía allí?

Los cuatro adolescentes se sentaron en el pretil de piedra de la fuente. David se agachó, cogió del suelo un pequeño palo, lo dejó sobre el agua y dijo:

—El libro que yo he leído se titula *El Conde Lucanor*.

Ninguno mostró interés y ni siquiera se volvieron para escucharlo.

—Es divertido —añadió mientras empujaba el palo hacia el centro de la pila—. Hay un conde que habla con su criado Patronio cuando tiene un problema, y le pide consejo. Entonces el criado le cuenta una historia para que sepa lo que tiene que hacer. Le habla de un hombre que atraviesa un río, pero lleva a cuestas un saco de piedras preciosas tan pesado que comienza a hundirse...

David acercaba el palo hasta donde caía el chorro para que la fuerza del agua lo hundiera; pero enseguida salía a flote, y él lo cogía y volvía a lanzarlo hasta el centro del remolino. Así una y otra vez.

—Como llevaba mucho peso —siguió contando David—, al llegar a la parte más profunda del río se hundía cada vez más. Un hombre lo estaba viendo desde la orilla y le gritaba que tirase la carga, o si no, acabaría muerto. Pero no le hizo caso...

—¿Y qué? —le preguntó Blanca.

—Pues eso... —dijo David—. ¡Que se ahogó!

—Eso no significa nada —le reprochó ella—. Tienes que buscar alguna pista en el libro.

—Eso es lo único que hay, so lista.

Y mientras hablaba, dio una palmada al agua.

—Casi me mojas... —le advirtió con tono amenazador.

David se inclinó otra vez hacia la fuente y siguió con su propósito inútil de hundir el trozo de madera con la fuerza del chorro que caía de los caños.

—Otra historia que cuenta el libro —comenzó a hablar de nuevo— es la de tres hombres que visitaron a un rey y le dijeron que podían tejer un paño que sería único en el mundo.

Mientras jugaba con el palo en el agua, David les contó la historia de esos tres hombres que se ofrecieron a tejer un paño tan peculiar que solo podrían verlo quienes fueran realmente hijos legítimos. Al oírlo, el rey pensó que con ese paño podía quedarse con la herencia de quienes no eran verdaderos hijos de los que decían ser. Para fabricarlo, ellos le pidieron oro, plata y seda. Luego se encerraron en una sala del palacio. Al cabo de unos días, el rey envió a uno de sus consejeros para que revisara el trabajo. El consejero no vio la tela, pero no se atrevió a decirlo, sino que alabó todo lo que pudo su belleza. Un día, el mismo rey se acercó al taller. Los tres estafadores le explicaron los dibujos que habían bordado. Pero como él no veía nada, se asustó y tuvo miedo de perder el reino si se llegaba a saber que él no era el hijo del rey y por lo tanto no era el heredero legítimo.

—Un día que se celebraba una fiesta, todos le pidieron que se vistiera con aquel traje —dijo David—. Y el rey se paseó con él a caballo por las calles del reino.

—¿Desnudo? —preguntó Fátima con cara de incredulidad.

—Claro —confirmó David—. En calzones.

David sacó el palo del agua, al comprobar que no conseguía hundirlo.

—¿Pero has encontrado algo de lo que buscamos? —le urgió Blanca.

—No sé... —se encogió de hombros, despreciándola.

—Pues búscalo —le reprochó ella de nuevo.

A David no le gustó el tono de amonestación de Blanca y volvió a dar un golpe intencionado al agua con la palma de la mano. Esta vez la salpicadura mojó a los tres que estaban sentados. De un salto se pusieron de pie. Fátima salió corriendo a refugiarse en la pared de la casa de enfrente. Blanca se quedó mirando el jersey empapado.

—¿Tú eres tonto o qué? —le gritó—. Mira cómo me has puesto.

David echó a correr, riéndose. Blanca y Yago se miraron mientras David se alejaba.

—¿Y si el farero nos estuviera engañando a nosotros como hicieron con la gente esos estafadores del cuento? —dijo Blanca.

ζ

La fuente escondida

Estaba el pasillo en penumbra. El día había amanecido gris y las puertas cerradas de las habitaciones dejaban pasar apenas una rendija de luz. Yago caminaba entre las sombras, y a cada paso que daba crujían las tablas del suelo. La puerta de la cocina estaba entornada. Se acercó y, a través de la pequeña abertura, vio a su madre sentada en un taburete. Sostenía un par de cuartillas y un sobre arrugado y envejecido. Estaba tan emocionada que no se percató de la presencia de Yago. Él sabía de sobra el contenido de la carta que tenía su madre. Y eso le inquietaba.

Se dio la vuelta y se dirigió hacia las escaleras. No quería dar ninguna explicación de adónde iba. Ya era mayor y no le apetecía estar contando siempre lo que hacía o lo que dejaba de hacer.

Al salir a la calle sintió una ráfaga de frío en las piernas. Iba vestido con un pantalón hasta las rodillas y unas largas medias de lana, como todos los muchachos de su edad. Se abrochó bien el chaquetón de paño. Él ya no era un niño y no quería vestir así, pero ese era el modo como iban vestidos todos durante los años en los que estaban todavía en la escuela. Cuando dejaban el colegio y se ponían a trabajar, adoptaban entonces el aspecto de adultos, con pantalones largos, jerseys con coderas y algunos con chaquetas de pana, que les hacían parecer mayores. Él aún no vestía así, pero ya no era un niño.

Ese día se había levantado de mal humor. Estaba cansado. Le pareció que había crecido de pronto, que tenía los brazos

demasiado largos y que el cuerpo se le movía un poco a su
aire, desmadejado. Aquel era uno de esos días que habría sido
mejor quedarse en la cama.

Pero el farero había sido tajante: les había dicho que tenían que buscar en los libros cualquier señal que hubiera dejado escrita el maestro. La mirada de aquel hombre serio les producía un indefinido temor. ¿Qué podían hacer? El maestro había desaparecido. Una llave les indicaba que el faro podía ser un lugar sospechoso. Una libreta les había descubierto aquel baúl, que encerraba los libros con signos cifrados que podrían contener la causa de la desaparición del maestro... O tal vez el lugar donde podían encontrarlo. ¿Tenían entonces otra opción que no fuera hacer lo que les decía el farero?

Fue a buscar a Blanca. Ella era la única persona con la que le apetecía estar. Blanca también había crecido en los últimos meses. Ya no era una niña. La curva de las caderas se le notaba redondeada debajo del vestido. Y los pechos... Él se había fijado bien desde hacía tiempo: ya eran casi tan grandes como los de su madre.

Volvió a pensar en la imagen de su madre sentada en el taburete, sola en la cocina en penumbra. Hacía medio año que habían recibido una carta del frente. Su madre no sabía leer y él fue el que la leyó por primera vez, en voz alta, sentado en la misma cocina, con la inquietud de saber qué noticias podía transmitirles. Desde entonces su madre le había pedido muchas veces que se la leyera. Casi podía recitarla de memoria. «Querida mujer y queridos hijos: espero que al recibo de esta os encontréis bien...». Su padre no le trataba en esa carta como si fuera un niño. «Estarás ya hecho un hombre», le decía. «Cuida de tu madre y vigila las gallinas del corral para que no os falte de comer».

Volvió a sentirse apenado. No sabría decir por qué, tal vez por todo: por su padre, al que no había visto desde que se fue a la guerra hacía más de dos años; por su madre, a la que veía sufrir cada día su ausencia; por él mismo, que no encontraba sentido a lo que ocurría a su alrededor.

Cuando vio salir a Blanca de su casa, desde el otro lado de la calle donde la estaba esperando, pensó que ella sí que mostraba la apariencia de cualquiera de las jóvenes que ya no estaban en la escuela: llevaba medias, un vestido largo y una chaqueta de lana gruesa de color azul.

—Vamos al faro —le dijo ella.

—¿Hoy también? —se mostró reticente Yago, a quien no le apetecía nada estar aquel día con el farero. Ni con David. Ni con nadie. Solo con ella.

—He descubierto algo que quiero enseñaros —le dijo Blanca.

Al rato estaban subiendo los cuatro el último repecho de piedra que acababa en el faro. David iba detrás, un poco separado de los otros, distraído. Yago se detuvo para mirar las olas que se rompían contra el acantilado. Sentía en su interior el malestar que le había producido ver a su madre sola y apenada. Blanca y Fátima se pararon junto a él. El agua embestía con furia las rocas, pretendiendo inútilmente alcanzar la tierra fértil que descendía hasta la aldea.

—El farero sabe más de lo que nos cuenta —dijo Blanca.

David llegó en ese momento junto a ellos, y todos reanudaron la marcha.

—¿Y tú por qué lo sabes? —se le encaró David.

—Porque sí, enano —le despreció ella.

El viento zumbaba en el faro. Yago se fijó en cómo agitaba con fuerza el cabello de Blanca.

Al llegar al faro, el hombre les hizo subir al primer piso del torreón de piedra. Yago habría preferido no estar allí. No podía quitarse la imagen de su madre, el recuerdo de la carta, el destino incierto de su padre en la guerra. En eso estaba pensando, cuando David dejó el libro que llevaba encima de la mesa y protestó:

—Estos libros son difíciles de leer.

—Están escritos en una lengua todavía primitiva —dijo el farero—. Las lenguas van cambiando con el paso del tiempo. Han pasado muchos años desde que se escribieron y hoy hablamos de una manera diferente a entonces.

El farero tenía los cabellos grises despeinados. La cabellera revuelta le daba un aspecto de hombre perturbado. Cogió una pipa de fumar. Agarró un bote metálico y se lo puso sobre las piernas. Quitó la tapa y sacó varias hebras de tabaco enredadas. Con parsimonia las fue encajando en la cachimba.

—Habéis leído cuatro libros —les dijo—. Tenéis que decirme qué habéis encontrado.

Yago seguía pensando en sus preocupaciones mientras le oía hablar como un rumor de fondo. Oyó nombres que le eran desconocidos: mester de clerecía, Gonzalo de Berceo, el arcipreste de Hita, el *Libro de Buen Amor*.

—Yo he leído *El Conde Lucanor* —dijo David.

El farero balanceó la mecedora en la que estaba sentado. Cogió otra hebra de tabaco y la apretó con el dedo pulgar dentro de la cazoleta.

—Es una colección de cuentos —habló mientras preparaba la pipa—. Los escribió don Juan Manuel para que sirvieran de ejemplo a quienes los leyeran. La lectura entretiene, pero también enseña. Eso es lo que pretendía don Juan Manuel: enseñar divirtiendo.

—Pero no he encontrado ningún mensaje del maestro en este libro —reconoció David.

—¿Ah no? —se sorprendió el farero—. ¿Entonces por qué lo dejaría en el baúl?

—Yo sí he encontrado una pista —dijo Blanca.

El farero absorbía la pipa con fuerza, tratando de que se extendiera en ella el fuego de la cerilla que mantenía aún encendida entre los dedos.

—En este libro de Jorge Manrique que se titula *Coplas a la muerte de su padre* —añadió Blanca; e iba a contar qué es lo que había encontrado, cuando el farero la cortó:

—Esa obra habla de la fugacidad: de cómo todo pasa, se termina y se olvida. Refleja el pensamiento religioso medieval. En la Edad Media la religión lo impregnaba todo: estaba en el gobierno, en la guerra, en la vida diaria de las gentes humildes, en el arte, en la literatura.

Su voz no tenía la furia áspera de los primeros encuentros. Su rostro había adquirido de pronto una mirada de melancolía.

—Un hombre joven ha visto morir a su padre, y entonces se pone a escribir su dolor —les dijo.

Yago inclinó la cabeza hacia el suelo pensando en su padre. Un día llegó un camión al pueblo y paró en la plaza, junto a la fuente. Se bajaron dos hombres vestidos de militares. Llevaban una carpeta, la abrieron, sacaron un papel y empezaron a leer nombres, entre ellos el de su padre. Al rato los subieron a todos en el camión, que arrancó con un petardeo y se alejó por la carretera, dejando un reguero de olor a gasolina. Desde entonces Yago no sabía más que lo que él mismo les había contado en esas dos cuartillas que tantas veces había leído a su madre.

El farero no se percató de su malestar; abrió el libro que le había dado Blanca y comenzó a leer:

I

Recuerde el alma dormida,
avive el seso y despierte,
contemplando

cómo se pasa la vida;
cómo se viene la muerte
tan callando;
cuán presto se va el placer;
cómo, después de acordado,
da dolor;
cómo, a nuestro parecer,
cualquiera tiempo pasado
fue mejor.

—El presente no es más que un instante, un momento efímero —les dijo—. La vida se va como un sueño. Como el agua de un río que baja imparable hacia el mar, así vamos nosotros hacia la muerte.

Aspiró con ansiedad la pipa que había encendido, como si fuera ese el último sorbo que iba a dar en la vida. Al hacerlo, abrió los ojos con tanta desmesura que su rostro parecía el de un hombre perturbado.

—En la última parte de las *Coplas*, Jorge Manrique habla de cómo vivió su padre y de cómo murió...

Al oír esas palabras, Yago pensó que no debía haber ido aquella mañana al faro. Tenía que haberse marchado a cualquier parte solo con Blanca. Era la única persona con la que le apetecía estar en ese momento.

Miró al farero y lo vio abstraído, con la cara levantada hacia el techo, expulsando suavemente el humo. Tampoco él podía comprender las emociones de aquel hombre solitario...

—También Alonso, el maestro, perdió a su padre siendo niño —les reveló entonces el farero.

Aquel hombre arisco miró a Yago de una forma extraña. ¿Era por compasión o es que estaba ido? Tal vez pensaba en el padre de aquel muchacho, que peleaba en el frente y que corría el peligro de no volver jamás...

—¡Maldita guerra! —exclamó entonces entre dientes, mientras mordisqueaba la pipa de tabaco.

Yago volvió a pensar en su madre, y la imaginó con la carta arrugada entre las manos. Y pensó en su padre, y recordó la última mirada con la que lo despidió antes de subir al camión que lo llevaría hacia el frente. «Ahora eres tú el hombre de la casa», le dijo, apoyando la mano áspera en su hombro. Eso le dijo; y le ordenó: «Cuida la casa. Y a tu madre. Y a tu hermano, ¿eh? Cuida también a tu hermano». Y él le prometió que lo haría, aunque no sabía cómo, porque todos seguían tratándolo como a un niño, y hasta le hacían ponerse aún aquellos ridículos pantalones cortos...

Fue Blanca quien lo sacó de aquellas cavilaciones, cuando exclamó impaciente, para que todos la oyeran y el farero dejara de distraerlos con temas que no les interesaban:

—En ese libro de poemas he encontrado el mismo signo que está dibujado en el plano.

—¿Dónde? —le preguntó el farero.

—En estos versos —respondió, mientras le enseñaba el libro:

v

Este mundo es el camino
para el otro que es morada
sin pesar,
mas cumple tener buen tino
para andar esta jornada
sin errar;
partimos cuando nacemos,

andamos mientras vivimos
y llegamos
al tiempo que fenecemos;
así que cuando morimos
descansamos.

Todos se acercaron y se pusieron alrededor de ella, que les enseñó cómo la palabra «partimos» estaba subrayada con un trazo rojo y en el margen del libro, junto a ella, estaban dibujados los mismos círculos concéntricos que indicaban en el plano la fuente del pueblo.

—¿Eso qué significa? —preguntó David.

—Está claro —intervino el farero—. Fuente: origen, punto de partida.

—O sea, que ese símbolo es la fuente —dedujo Blanca—; y el libro nos indica que partiendo de ella y siguiendo el recorrido del agua llegaremos a algún lugar secreto.

—Entonces, no había que buscar en la fuente... —exclamó David—. ¡Por eso no encontramos nada en ella! Había que partir de allí. ¿Pero hacia dónde?

—Siguiendo el agua del regato ¿O es que no lo ves? —le replicó Blanca.

Cogieron el plano y lo desplegaron encima de la mesa. En la fuente nacían cuatro caminos sinuosos que se dirigían hacia el faro, hacia los barcos de pesca, al bosque de hayedos y pinares y hacia el arbolado de robles. Eran unos trazos irregulares cuyo significado desconocían. Al ver esas líneas solo se les ocurrían interrogantes. ¿Qué habría dejado escondido el maestro? ¿Y dónde?

De momento solo sabían una cosa: desde dónde tenían que empezar a buscar. El maestro había señalado en el plano un punto de partida. Desde él tenían que seguir un camino hacia un lugar desconocido. Allí encontrarían algo: un objeto, una señal, quizás al propio Alonso, tal vez su cadáver...

η

La primera pista

Desde la fuente fueron siguiendo el regato de agua que se desbordaba del pilón por un canal. El agua cruzaba la aldea por medio de una rodera estrecha que la sacaba del pueblo. Los cuatro caminaban junto a la orilla del regato. David iba como siempre distraído, quedándose rezagado. Cogía palos del suelo y los lanzaba al agua para observar la carrera que seguían arrastrados por la corriente. Las plantas invadían a veces el cauce del riachuelo y el agua parecía remansarse y quedarse quieta. Sin embargo, por debajo de esa superficie estancada, el agua continuaba bajando la pendiente, hacia el mar. Ninguno se detuvo a pensar en ello. Nadie consideró que estaban siguiendo la alegoría que escribió Manrique: «Nuestras vidas son los ríos que van a dar en la mar, que es el morir».

—¿Cuándo llegaremos? —preguntó Fátima.

Blanca le reprochó:

—Si no sabemos a dónde vamos, ¿cómo vamos a saber cuándo llegaremos?

Y siguieron andando en silencio. A ratos, Blanca se detenía y los demás hacían lo mismo. Observaban alrededor, mirando a todos los lados por si había algo que pudiera ser un indicio revelador. Pero no veían nada especial, e iniciaban de nuevo la marcha.

A lo lejos se oía el suave batir de las olas contra el manto de guijarros y de arena que formaba el artesanal puerto donde atracaban las barcas los pescadores. Giraron a la izquierda siguiendo la corriente, que se hundía en una leve foz. Al salir de esa revuelta, se encontraron de frente con un pequeño barracón de piedra. De lo que había sido hace tiempo un refugio de ganado en medio del monte, solo se mantenían en pie los muros y una parte del tejado. Los cuatro se detuvieron a unos metros de los muros. Después se acercaron cautelosos a las paredes de piedra de ese edificio en ruinas. Estaba cerrada la puerta de madera que lo guardaba y siguieron rodeándolo antes de decidirse a entrar en busca de alguna pista. Fue entonces, nada más volver la esquina del lado que se abría hacia el mar, cuando lo vieron de espaldas y se quedaron paralizados. ¿Qué hacía él allí, en ese paraje solitario del monte? Estaba sentado en una roca, tenía un libro en la mano y miraba hacia el horizonte. Se acercaron incrédulos, desconcertados por aquel encuentro inesperado. Blanca iba delante, más decidida, y los demás la seguían un poco retrasados. Cuando él se volvió, sintiendo su presencia, los miró con sequedad.

—¿Buscabais algo? —les preguntó.

Y Blanca fue la única que se atrevió a responderle:

—Hemos seguido el regato de la fuente.

—Pues aquí no hay nada —dijo el farero.

Volvía a ser el hombre arisco, como le conocían todos en el pueblo. No se dirigió a ellos con la serenidad del día anterior, sino con aspereza y desconfianza.

Los cuatro se quedaron quietos. Nadie dijo nada y solo rompía el silencio el suave aleteo de las hojas de los árboles movidas por la brisa. Blanca se planteó qué hacía él allí, en un lugar por donde nunca se le había visto antes...

—Este libro le gustaba mucho al maestro —les habló con un tono seco, mostrándoselo con el brazo extendido—. Enseña una

manera muy sencilla de transmitir mensajes en clave. Lee esto y
a ver qué encuentras —se dirigió a David, dándole el libro.

David comenzó a leer en voz alta:

El silencio escuda y suele encubrir
la falta de ingenio y torpeza de lenguas;
blasón, que es contrario, publica sus menguas
a quien mucho habla sin mucho sentir.
Como hormiga que deja ir,
holgando por tierra con la provisión,
jactóse con alas de su perdición;
lleváronla en alto, no sabe dónde ir.
El aire gozando ajeno y extraño,
rapiña es ya hecha de aves que vuelan.

Todos escucharon con atención, tratando de encontrar algún sentido a lo que oían. El farero les dijo:

—Juntad la primera letra de cada verso.

Blanca le quitó el libro a David, tan rápida que él no pudo
reaccionar.

—El-ba-chi-ller...

—Eso es —confirmó el farero—. El autor de este libro quiso transmitir un mensaje cifrado. Solo hemos leído los primeros versos; si leyéramos todo el poema y juntáramos la primera
letra de cada verso, sabríamos el mensaje completo: «El bachi-
ller Fernando de Rojas acabó la comedia de Calisto y Melibea y
fue nacido en la Puebla de Montalbán».

—¿Y por qué lo hizo así? —se extrañó Blanca.

—Por miedo. Era letrado en Talavera de la Reina, donde llegó a ser Alcalde Mayor. Y era un converso: un judío que se había convertido al cristianismo antes de que fueran expulsados

los judíos de la Península. Solo por eso ya era un hombre sospechoso. El libro podía ser usado en su contra, para perseguirlo y condenarlo.

—¿Por qué? —insistió Blanca.

—Porque en él se cuenta la historia de un hombre que se enamoró de una joven hasta el delirio. Le pareció tan hermosa la primera vez que la vio, que desde entonces no pudo quitársela de la mente y solo pensaba en gozar abrazado a su cuerpo por la noche.

Una gaviota pasó chillando sobre sus cabezas y los cuatro se volvieron a mirarla, pero el farero siguió hablando:

—Ella se llamaba Melibea; y él, Calisto.

Les contó el farero que al principio Melibea lo rechazó, pero él acudió a una vieja, que se llamaba Celestina, para que la convenciera. Y Celestina, sirviéndose de engaños, consiguió que al fin los amantes pasaran varias noches juntos sobre la hierba, en el jardín de Melibea.

—Un día, al amanecer, oyeron voces de pelea afuera. Calisto escaló el muro del jardín, con tanta prisa que cuando estaba arriba, se cayó y se mató.

—¿Y qué pasó con Melibea? —preguntó Blanca.

—Se dejó arrastrar por la desesperanza. Subió a la torre de su casa; se encerró en una habitación; desde allí le explicó todo a su padre Pleberio; y se lanzó al vacío.

Blanca se quedó impresionada. El farero golpeó varias veces con el tacón de la bota sobre la tierra, como si quisiera enterrar un pasado que lo atormentaba. Mientras lo hacía, recordó unos ojos hermosos que durante un tiempo también a él le miraron con pasión.

—¿Te has enamorado de una mujer alguna vez? —le preguntó Blanca, sin pensar lo que decía.

Y los demás se volvieron hacia ella sorprendidos de su atrevimiento, esperando la reacción airada de aquel hombre que
no había dejado de mirar al mar mientras les hablaba.

—Una vez —confesó él tranquilo, para asombro de todos—.
Fue nada más llegar al pueblo. La vi y ya no podía dormir, pensando en ella. Un día vinimos aquí, al atardecer, por separado
para que nadie nos viera. Aquí nos besamos por primera vez.

—¿Y qué pasó con ella? —preguntó Blanca.

—Eso no importa ahora —dijo él.

Se levantó y se encaminó hacia el faro, dejando a los cuatro
en silencio frente al mar.

Yago miró a Blanca, pensando todavía en la pasión de Calisto por Melibea y en el amor del farero por aquella desconocida
mujer. Al mirarla le pareció la chica más hermosa que conocía.
Era alta y esbelta. Los pechos le empujaban el jersey insinuan-
do el volumen que se escondía debajo de la blusa blanca. Tenía la cara estrecha y el pelo rubio. Llevaba la melena recogida,
dejando unos mechones sueltos que a Yago le atraían tanto
como la finura de sus manos, el brillo de sus ojos, la curva de
sus labios rojos.

Blanca, ajena a los pensamientos de Yago, observaba al farero que se alejaba. Él tenía con ellos una actitud esquiva y con-
tradictoria. Unas veces los trataba con dureza y otras los distraía contándoles historias de los libros que les daba para leer.
Volvió a pensar quién sería esa mujer a la que el farero había
perdido; y por qué. Y se preguntó si tendría algo que ver con
la desaparición del maestro.

θ

Un descubrimiento

Estuvo lloviendo varios días seguidos. El cielo tenía el aspecto de una chapa de plomo de la que colgaban finísimos hilos de agua. A rachas, el temporal daba una leve tregua, para volver de nuevo a descargar su monotonía de lluvia sobre El Faro. Las gentes faenaban esos días en casa, limpiando frutos secos, almacenando maíces, acarreando leña o reparando los aparejos de la pesca. Los cuatro leían encerrados en sus habitaciones los nuevos libros que les había entregado el farero. Por fin una mañana amanecieron las nubes blancas agrupadas como bolas de algodón y deshilachadas a trozos. El cielo dejó de ser una manta negra y poco a poco se fueron abriendo en él grietas azules. Yago aprovechó la primera tregua de la lluvia para ir a buscar a Blanca. La encontró junto a la puerta de su casa; e inmediatamente ella le transmitió sus sospechas:

—¿No es extraño que el farero estuviera en el refugio?

—Y precisamente el mismo día que nosotros seguimos el recorrido del regato.

—¿Qué hacía en aquel lugar? —insistió Blanca.

—Parecía que nos estaba esperando...

Callaron los dos, pensativos.

—Deberíamos investigar por nuestra cuenta —sugirió ella.

—Pero ¿cómo? Si es él el que tiene el baúl...

—Por eso. Solo nos enseña lo que le interesa que veamos.

—¿Tú crees que nos oculta algo?

—Por supuesto —afirmó Blanca convencida—. Y si hacemos siempre lo que él nos diga, nos engañará.

Hablaba con tal certeza que transmitía el convencimiento de que estaba absolutamente segura de lo que decía.

—¿Qué podemos hacer entonces? —preguntó Yago.

—Deberíamos revisar más despacio todo lo que hay en el baúl.

—Libros —le recordó él.

—Libros y otras cosas...

—Pero sobre todo, lo que hay en el baúl son libros, acuérdate. Y él mismo nos los da para que los leamos.

—¿Y el plano qué? —protestó Blanca.

—El plano ya lo hemos visto.

—Sí, pero solo cuando él nos lo enseña.

—Nos lo enseña cuando descubrimos algún signo que tiene sentido.

Blanca lo miró con sus ojos brillantes muy abiertos, acercando su cara a la suya, y le dijo:

—El plano es lo que nos ha de guiar adonde esté el maestro. Eso es lo importante...

—¿Por qué lo dices? —preguntó él sin pensarlo demasiado, turbado por la cercanía de su rostro.

—Porque es así. ¿O es que no lo ves? El plano indica un camino en el que encontraremos pistas que llevan a algún lugar donde puede estar el maestro. Quizá encerrado. O muerto...

—Bueno, pues ya lo estamos siguiendo...

—Sí, pero si no queremos que él nos diga lo que tenemos que hacer en cada momento, deberíamos tenerlo nosotros.

Yago percibió la expresión vehemente de su mirada, que transmitía una actitud decidida. Así miraba cuando ya había tomado una determinación.

—Tenemos que robar el plano del faro —le dijo.

—¿Cómo? —se alarmó él.

—Iremos allí mañana. Y cuando estemos en el piso de arriba con el farero, tú buscas la manera de que vaya al piso de abajo. Yo me encargo mientras de coger el plano y de sacarlo escondido.

—Lo dices muy fácil... ¿Y si él se da cuenta?

—No se dará cuenta.

—¿Y si se da? —insistió Yago.

—Bueno... Podemos hacer otra cosa: lo copio y así no hay que sacarlo.

Él sentía hacia Blanca una admiración que no podía ocultar. Blanca era resolutiva. Actuaba con decisión, sin amedrentarse ante las dificultades. Era valiente... Y tenía además el rostro más hermoso que él había visto nunca. Eso es lo que estaba pensando Yago cuando la escuchó decir:

—Esta tarde hacemos el plan.

Le sonrió con un gesto cómplice que Yago interpretó como un signo de intimidad compartida. Ella se dio la vuelta para dirigirse a su casa. El vuelo de su vestido dibujó un abanico en el aire que a él le produjo una indefinida turbación.

—Piénsalo —le gritó ella desde el portal.

Y Yago se quedó parado en medio de la calle mirándola.

*

Al día siguiente estaban de nuevo en el faro, en la sala del primer piso. Los cuatro, de pie, esperaban que el farero les diese algunos libros en los que buscar pistas sobre la desaparición del maestro. Yago le miraba nervioso, esperando la ocasión de hacerle ir al piso de abajo para que Blanca pudiera coger el plano guardado en el baúl, sin que la viera. El farero tenía los ojos enrojecidos y algo hinchados, como si hubiera dormido mal, como si el insomnio le hubiera tenido en vela esa noche.

Yago recordó la historia terrible de Melibea y pensó en la mujer de la que les había hablado el farero. Sin dar tiempo a que pudiera comentar nada para hacerle salir de ese cuarto, él les dijo:

—Poco antes de que se escribieran los amores de Calisto y Melibea, había sucedido algo muy importante. En 1492.

—¡La conquista de Granada! —gritó inmediatamente David.

Yago se inclinó hacia él, y le dijo al oído:

—Muy listo, Calisto...

—Ese año terminó la reconquista de las tierras de la Península a los sultanes nazaríes, sí —confirmó el farero—. Y antes se había producido el matrimonio entre dos reyes, el de Castilla y el de Aragón, Isabel y Fernando, los Reyes Católicos, que dieron así unidad a la Península por primera vez.

David se acercó a Yago para responderle algo en voz baja, pero cuando iba a hacerlo, el farero siguió:

—Pero ese año se produjo otro hecho muy importante. Venid —les dijo.

Fue hacia la ventana y los cuatro lo siguieron.

—¿Qué veis? —les preguntó.

—El mar —dijo David.

—¿Y qué más? —insistió él.

—Agua.

—¿Y qué más?

—El cielo —añadió Yago.

—¿Y qué más? —preguntó de nuevo.

Nadie respondió.

Al cabo de un rato, Blanca volvió a decir:

—Nada más. Solo eso.

—Pues imaginaos que eso es lo que estáis viendo cada día. Y no una semana ni un mes. ¡Durante setenta días! Solo eso y siempre lo mismo. Y vais en un barco de madera, que es como una nuez, con tres velas, zarandeada por las tormentas y el oleaje. Se os han acabado los alimentos. Algún marinero está enfermo; y todos, hartos y al borde del motín. Lleváis días esperando encontrar una costa que nunca aparece en el horizonte. Habéis perdido la esperanza y solo aguardáis la muerte. Y un día alguien grita: «¡¡¡tieeerraaaa!!!». Pues eso es lo que les ocurrió a un grupo de marineros capitaneados por un navegante de origen genovés, que había embarcado en el puerto de Palos, en Huelva, buscando un camino más corto para llegar a las Indias.

—¡Cristóbal Colón! —dijo rápidamente David.

Y Yago le hizo una mueca de burla, mientras le repetía otra vez en voz baja:

—Muy listo, Calisto...

—Cristóbal Colón —corroboró el farero—. La lengua cruzó con él el océano y llegó a otro continente. Siempre se cruza el mar en busca de algo mejor. Siempre, desde entonces, los hombres recorrerán cientos de veces las aguas del Atlántico en una dirección y en otra. Para quedarse o para volver. Y siempre encontrarán un mundo familiar al otro lado; porque oirán la misma voz, las mismas palabras, la misma lengua.

Desde la ventana del faro solo se veía un horizonte de agua interminable. Pero la imaginación de aquel hombre de barba gris que les hablaba con los ojos hinchados y enrojecidos, como si fuera un demente, veía a lo lejos un paraíso de palmeras, de selvas tropicales y de playas de arena inmaculada.

—Y aquellos que fueron tan lejos —continuó hablando—, y dejaron en esas tierras su lengua, también aprendieron palabras

que nombraban objetos que desconocían. Y hoy decimos «maíz» porque así lo decían los indígenas de aquellas tierras lejanas. Y de ellos aprendimos lo que era el «poncho» y la «hamaca», la «pampa», el «cacao», el «cóndor» que planea majestuoso los Andes, el «jaguar», el «tiburón», la «piraña»...
Mientras les hablaba, el farero contemplaba con nostalgia el cielo azul, a través de la ventana del faro.

—Aprendimos a «platicar» y supimos que muchas cosas de la vida pueden ser calificadas como «lindas». Porque a veces nos ronda la tristeza —les dijo—, pero siempre hay algo hermoso a nuestro alrededor, si sabemos mirar bien.

Se quedó mirando a la lejanía. Sabía que al otro lado, saliendo de esa torre que era al mismo tiempo su refugio y su encierro, podía construirse otra vida. Si algunos lo habían hecho, ¿él por qué no? Repentinamente miró a los cuatro, le palmeó en la espalda a David que estaba más cerca, y les hizo volverse a donde estaban antes, mientras comentaba:

—Aprendimos todos en esa mezcla a la que nos llevó la historia. Y el castellano desde entonces se hizo mestizo; y se enriqueció.

Blanca se había puesto junto a Yago. Sin hacer ningún gesto, para que el farero no se diera cuenta, buscó su brazo a tientas, con intención de estirarle de la manga para indicarle que empezara a poner en práctica el plan que habían previsto. Quiso hacerlo disimuladamente, sin mirar. Al acercarse, tocó con sus dedos la mano de Yago y este, al sentir la caricia suave de los dedos de Blanca, se puso nervioso.

—Mientras los españoles estaban conociendo un nuevo continente —continuaba el farero—, por Europa se iba extendiendo una nueva visión del mundo. La llamaron Renacimiento, y su origen estaba en Italia.

Eel faro de los acantilados

Yago retiró instintivamente la mano, pero Blanca alargó el brazo buscándola, hasta tocar la espalda de él. Blanca intuyó que algo estaba sospechando el farero, porque la miraba fijamente, así que preguntó para distraerle, fingiendo interés por lo que les estaba contando:

—¿Y cuándo ocurrió eso?

—A lo largo del siglo xvi —le contestó.

Blanca miró el baúl que estaba allí frente a ellos. En su interior se amontonaban libros, pero también otros objetos cuyo significado aún desconocían.

—En ese siglo se escribieron versos apasionados sobre el amor —siguió hablando—: Garcilaso de la Vega, San Juan de la Cruz... Lo que os perdéis, si no los habéis leído... Y también entonces nació la novela: *El Lazarillo de Tormes*, *El Quijote*...

Blanca sospechaba que el farero estaba tramando algo. Y mientras, para ganar tiempo o para engañarlos, los distraía con esas historias. Ella oía su voz como una salmodia de fondo, pero no le estaba prestando atención.

—Si pensáis en un hombre típico del Renacimiento —les decía con un libro en la mano—, pensad en Garcilaso. Combatió en el ejército del emperador Carlos I. Un día conoció a una dama portuguesa que acompañaba a la esposa del emperador. Se llamaba Isabel Freyre. Se enamoró de ella apasionadamente. Le dedicó todos sus versos. Pero nunca fue correspondido.

A Blanca en ese momento solo le preocupaba el plano. ¿Qué señalaban las líneas pintadas en el papel? Un lugar que no sabían dónde estaba, en el que tenían que buscar algo que desconocían qué era. Y sin embargo, ahí podía estar el secreto de lo que le había ocurrido al maestro. Nadie sabía aún si estaba muerto o escondido, si había huido o vagaba desmemoriado por cualquier lugar. Y el farero, mientras, les hablaba solo de los libros. ¿Era un engaño? ¿Era una distracción, porque él era el culpable de lo que había pasado? ¿No sería eso lo que pretendía realmente: confundirlos para que dejaran de indagar en su paradero? Lo miró fijamente, al mismo tiempo que él abría una página del libro que tenía entre las manos para decirles:

—Escuchad lo que escribió Garcilaso a esa mujer a la que amaba:

En tanto que de rosa y azucena
se muestra la color en vuestro gesto,
y que vuestro mirar ardiente, honesto,
con clara luz la tempestad serena;

y en tanto que el cabello, que en la vena
del oro se escogió, con vuelo presto
por el hermoso cuello blanco, enhiesto,
el viento mueve, esparce y desordena:

coged de vuestra alegre primavera
el dulce fruto, antes que el tiempo airado
cubra de nieve la hermosa cumbre.

Marchitará la rosa el viento helado,
todo lo mudará la edad ligera
por no hacer mudanza en su costumbre.

—Ese era el modelo de mujer que les gustaba en el Renacimiento —añadió—. Esbelta, de melena rubia, de piel rosácea y ojos ardientes.

David se acercó al oído de Yago para decirle con intención malévola:

—Como Blanca.

Y al mismo tiempo que David le susurraba al oído, Yago percibió la mano de ella que agarraba por fin la suya y la apretaba conminándole a que pusieran en práctica el plan previsto. Yago se aturulló, se le encendió el color de la cara y se puso nervioso.

—He visto una rata bajando las escaleras —dijo precipitadamente.

Todos se volvieron a mirarlo, incrédulos y sorprendidos; e inmediatamente giraron la cabeza hacia las escaleras.

—No es posible —se extrañó el farero.

—Que sí, que sí. Ha bajado corriendo por ese lado —añadió.

El farero se precipitó hacia allí y tras él salió corriendo también Yago. Blanca se dirigió aprisa al baúl, se puso de rodillas ante él y lo abrió. David y Fátima no acababan de entender lo que estaba ocurriendo. Se quedaron parados mirando la reacción de Blanca.

—¿Qué haces? —le reprochó David.

—Tú calla y avísame cuando suba.

Blanca revolvió con urgencia los objetos del baúl, hasta encontrar el plano. Lo desdobló y lo puso abierto encima. Sacó de debajo del vestido un papel de estraza y un carboncillo. Aprisa garabateó en él el dibujo de las primeras líneas del plano.

—¡Que suben! —gritó Fátima.

—¡Que no, que no! —la corrigió David—. Que no suben todavía.

Blanca trazó con rapidez los caminos que salían de la fuente, y estaba copiando los signos que aparecían en ellos, cuando Fátima volvió a gritar con cara de susto:

—¡Que ya suben! ¡Que te van a pillar!

l

El viejo molino

Al día siguiente Yago se sintió mal. Habían ido los cuatro al monte a recoger las castañas de unos árboles que pertenecían a la familia de Blanca. Así que tuvieron que dejar para más tarde estudiar juntos el plano que habían copiado. Allí estaban, en medio del monte, cuando de repente Yago les dijo que no podía más.

—¿Qué te pasa? —le preguntó Blanca.

—Me encuentro mal —dijo él—. Tengo frío.

Estaba tiritando, pero las mejillas las tenía encendidas y ardiendo, como una brasa.

—¿Qué te duele? —le volvió a preguntar Blanca.

—Todo... —dijo él—... Y la garganta. Es como si tuviera avispas en la garganta.

Las castañas desparramadas por el suelo dejaron repentinamente de tener interés para ellos. Recogieron la cesta con las que habían reunido y lo acompañaron a casa.

Su madre se asustó. Era una mujer joven, que tenía que cuidar de Yago y de su hermano pequeño y atender todas las labores desde que su marido se había ido a la guerra. Ella se acercó, le puso la mano en la frente y exclamó:

—¡Dios mío!... Si estás ardiendo como un tizón...

En un momento lo organizó todo: les mandó que fueran a casa del tío de Yago para que avisara al médico, que vivía en otro pueblo. Metió a Yago en la cama, con sábanas frías, y le fue aplicando paños húmedos sobre la frente.

Yago estuvo varios días enfermo en la cama con fiebre. A los demás no les dejaron visitarlo, para que no los contagiara. Cada día se acercaban hasta la puerta, salía su madre, con el hijo pequeño enredado entre las piernas, les decía que estaba mejor y los despedía.

Así transcurrió más de una semana, hasta que un día la madre les dijo:

—Pasad, podéis estar con él un rato.

Subieron las escaleras con pudor, tratando de no hacer ruido, como si temieran despertarlo. Al entrar en su cuarto, la habitación estaba en penumbra. La mujer fue hacia la ventana, abrió de par en par los ventanillos de madera y la luz de la tarde iluminó la estancia. Yago, desde la cama, les sonrió. Estaba pálido y más delgado.

—Me ponen todos los días una inyección —fue lo primero que les dijo.

—¡Vaya...! —comentó David, sacudiendo la mano, haciendo un aspaviento de dolor.

—Pero gracias a eso se está curando —dijo su madre mientras se marchaba de la habitación—. El médico nos dijo que había agarrado una buena.

—Estamos esperando a que te pongas bien para ir al molino —le dijo Blanca cuando sabía que la madre de Yago ya no podía oírlos.

—¿Al molino? —se extrañó Yago.

—Sí, nos ha mandado el farero que vayamos allí.

En ese momento volvió a entrar la madre de Yago con unas nueces y se las dio a Blanca para que las repartiera con los demás. Todos callaron y la madre se quedó de pie junto a la cama, mirándolos.

—¿Y vosotros qué hacéis estos días? —les preguntó.

Se miraron indecisos; pero David contestó inmediatamente:

—Yo he leído un libro.

—¿Ah sí? —se interesó ella—. ¿Cuál?

—*La vida de Lazarillo de Tormes*. Es muy divertido.

—¿Y de qué va? —le preguntó.

—Es de uno que cuenta su vida. Se llama Lázaro. Se crió huérfano y tan pobre que su madre lo entregó de niño a un ciego para que le sirviera de guía y él, a cambio, le diese de comer. Desde entonces fue sirviendo a distintos amos, pero con cada uno le iba peor que con el anterior.

Yago lo miraba desde la cama con los ojos cansados. Tenía la cabeza hundida en la almohada y la piel de su rostro mostraba la misma palidez blanca de las sábanas.

—Con el ciego le suceden cosas muy graciosas al lazarillo —dijo David, sonriendo—. Un día les dieron un racimo de uvas como limosna; y el ciego le dijo que iban a compartirlo, comiendo una cada uno. Al cabo de un rato el ciego empezó a coger de dos en dos; y el lazarillo cogió de tres en tres; y después, todas las que podía al mismo tiempo. Al acabar, el ciego le dijo que le había engañado; y él juró que no, y le preguntó por qué lo decía. «Porque yo comía las uvas de dos en dos y tú no protestabas», le respondió el ciego.

David se rio y con él los demás chicos. La madre de Yago mostró un amago de sonrisa amable en los labios. Si Blanca la hubiera mirado en ese momento, habría sabido que solo por arrancar ese gesto de sonrisa en su cara, merecía la pena estar ahí. Pero ella estaba inquieta y distraída. Solo pensaba en contarle a Yago en secreto para qué tenían que ir al molino en cuanto él pudiera salir. Y no podía hacerlo estando la madre delante.

*

El viejo molino era una construcción de piedra que se había levantado en el siglo XVII, en un tiempo que ni siquiera la memoria de los más viejos del pueblo podía precisar. Estaba lejos de la aldea, a la orilla del río. El terreno formaba allí una ladera, cuyo desnivel hacía que el agua se precipitara en una leve cascada. Ese salto se aprovechaba para hacer girar una rueda de aguadores, que transmitía el movimiento a la piedra que trituraba las simientes de maíz y de trigo.

Blanca, Yago y David se dirigieron por fin una tarde hacia el molino, que estaba abandonado desde hacía mucho tiempo: desde que una tragedia acabó con la vida del último molinero. Los tres habían oído contar en sus casas que aquel hombre vivía solitario en el molino y acabó loco. Decía que oía voces que le chillaban desde los cangilones, y que por las noches se encontraba a un hombre sentado en la piedra de moler. Al cabo de un tiempo, murió solo y delirando, entre los húmedos muros de piedra del molino.

Para llegar allí había que seguir desde la fuente el recorrido del regato, hasta donde se fundían sus aguas con las del río que bajaba desde el monte. Continuando el descenso del río, había que cruzar el refugio abandonado y sortear las curvas que trazaba el cauce entre las rocas, hasta llegar a la ladera escondida donde se levantaba el molino.

Aquel viejo edificio de piedra estaba abandonado, pero ellos sabían que entre sus paredes húmedas se refugiaba «el Turco», desde que llegó al pueblo hacía unos años, sin que nadie supiera de dónde. Tenía la tez oscura, hablaba con un acento extraño y todos supusieron que venía de tierras extranjeras y lejanas. Vivió unos días de los alimentos que le dieron como limosna, pero pronto empezó a desempeñar trabajos esporádicos con los que subsistía. Comenzaron a llamarle «el Turco»; él respondía a ese nombre; y si tuvo otro, nadie llegó a conocerlo. Se instaló en aquel molino abandonado, en el que pasaba largas temporadas. Luego, durante algún tiempo, desaparecía sin dejar rastro, hasta que un día alguien lo veía de nuevo por el monte.

El farero los había citado allí a los cuatro, junto al molino. Pero Fátima no quiso ir. Le daba miedo el molino y el recuerdo del loco que vivió entre sus paredes. Le daba miedo «el Turco». Le daba miedo que el farero hubiera descubierto que habían copiado el plano.

Los tres iban temerosos de encontrarse con «el Turco», que sonreía siempre con una mueca sospechosa, enseñando una boca desdentada. Las pocas muelas que se le veían tenían el color amarillento de los guijarros y manchas negras, como si fueran grumos de alquitrán. Todos hablaban del tatuaje que tenía en el hombro izquierdo. Era un ojo grande, que él enseñaba orgulloso y que los chicos en el pueblo observaban con asombro y con un poco de susto. «Es Horus —les decía él—: el dios de la muerte».

Cuando los tres llegaron al molino, se acercaron con recelo a la puerta que estaba entreabierta. Blanca la empujó despacio, por si «el Turco» estaba dentro. Crujió la madera y rechinaron las tablas destartaladas, comidas por la humedad. Blanca introdujo la cabeza y miró al interior, a uno y otro lado. La estancia estaba ensombrecida y la rueda de moler ocupaba el centro de la habitación. Dio un paso, entró cautelosa y se giró para mirar detrás de la puerta.

—¡Llegáis muy tarde! —retumbó la voz del farero, que en ese momento salió de detrás de una viga de madera.

Blanca se sobresaltó al verlo aparecer y al oír su voz de trueno, que retumbó entre aquellos muros de piedra.

—Entrad —les ordenó el farero a los otros dos, que se
habían asomado a la puerta con cara de susto.

Del bolsillo de la chaqueta sacó el plano. Yago sintió un temor repentino, al pensar que podía haber descubierto cómo le
engañaron. Miró a Blanca, que seguía imperturbable. El farero
no se inmutó. Ni siquiera preguntó por Fátima. Desdobló el
plano y lo extendió encima de la rueda de piedra.

—¿Veis este signo? —les dijo señalando con el dedo uno
de los dibujos del plano—. Ese dibujo lo he encontrado en
este libro —añadió, mostrándoles la novela que tenía junto a
él.

Yago esperaba que en cualquier momento les reprochara
que le hubiesen engañado, y temía la reacción del farero. Pero
él continuó hablando con su voz ronca, que rebotaba en las
paredes húmedas del molino:

—Este libro cuenta la historia de un hombre bueno. Un
hombre que sabe que en el mundo triunfan a veces los mal-
hechores. Ha leído tantas aventuras de caballeros que reco-
rren los países luchando en mil batallas, que él decide imi-
tarlos. Se enfunda un antiguo arnés de guerra, se monta en
un viejo rocín, coge una lanza herrumbrosa, convence a un
aldeano para que lo acompañe como escudero y se lanza por
los caminos del mundo, para deshacer entuertos, evitar agra-
vios y poner un poco de justicia allí donde gobierna el des-
orden.

—A ver si sabes quién es —le retó David a Yago en voz baja.

Pero este seguía preocupado por si el farero había descubierto que le habían copiado el plano. Y estaba atento solo a lo
que él les decía:

—Pero el mundo que ese hombre tiene en su cabeza no es el mundo real. Porque tantas lecturas sobre caballeros le han aguado la sesera, y está loco.

Yago pensó en el farero, un hombre solitario, que vivía aislado en medio de las rocas, sin otra compañía que el chillido de las gaviotas y la furia del viento: un lugar propicio para acabar chiflado. El farero dejó en ese momento el plano abierto y se giró para coger el libro. Yago aprovechó para volverse hacia Blanca y le hizo una señal levantando la cabeza y moviendo las cejas. ¿Qué hacemos?, quería decirle. ¿Qué está tramando ahora el farero? Pero ella se encogió de hombros. El farero abrió el libro y se lo pasó a Blanca, indicándole que leyera en voz alta:

En esto, descubrieron treinta o cuarenta molinos de viento que hay en aquel campo, y así como don Quijote los vio, dijo a su escudero:

—La ventura va guiando nuestras cosas mejor de lo que acertáramos a desear; porque ves allí, amigo Sancho Panza, donde se descubren treinta o poco más, desaforados gigantes, con quien pienso hacer batalla y quitarles a todos las vidas, con cuyos despojos comenzaremos a enriquecer; que esta es buena guerra, y es gran servicio de Dios quitar tan mala simiente de sobre la faz de la tierra.

—¿Qué gigantes? —dijo Sancho Panza.

—Aquellos que allí ves —respondió su amo— de los brazos largos, que los suelen tener algunos de casi dos leguas.

—Mire vuestra merced —respondió Sancho— que aquellos que allí se parecen no son gigantes, sino molinos de viento, y lo que en ellos parecen

brazos son las aspas, que, volteadas del viento, hacen andar la piedra del <u>molino</u>.

El farero interrumpió a Blanca preguntándole:

—¿Has visto que en el libro aparece subrayada con tinta roja la palabra «molino»?

—Y al lado está dibujado este signo —añadió ella enseñándolo.

—Que es el mismo que está pintado también en el plano —corroboró el farero.

—¡Claro! —intervino Yago—. El plano nos indica que hay que partir de la fuente y seguir el recorrido del regato. No sabíamos hasta dónde, pero ahora está claro: ¡hasta el molino!

—Ya estamos en el molino —intervino entonces David; ¿y ahora qué?

—Pues habrá que buscar algo que el maestro dejó aquí.

—O quizá esté él... —sugirió Blanca.

—Sí, hombre —receló David para llevarle la contraria—, aquí va a vivir... Con «el Turco»...

Se quedaron todos pensativos. Sonaba el chapoteo del agua que caía desde la cascada. La humedad envolvía el aire y se pegaba a las frías paredes de piedra. Aquel no era un buen sitio para vivir. Era un sitio para morir. O para volverse loco.

—Tenemos que buscar si aquí hay alguna cosa del maestro —sugirió Blanca.

El farero dobló el plano, cerró el libro y salió del molino. Los demás lo siguieron. Afuera el sol del atardecer teñía las nubes de un color amarillento.

—Las cosas no siempre son lo que parecen —comentó el farero; y levantó el libro que llevaba en la mano—. Eso es lo que enseña este libro.

—*Don Quijote de la Mancha* —le dijo David a Yago, haciéndole un gesto de burla.

Y Yago le contestó imitando su tono de voz un poco sabiondo:

—De Miguel de Cervantes, que eres un listo.

El farero se volvió hacia ellos y les dijo:

—Cervantes llevó una vida difícil antes de escribir este libro. No tenía dinero y tuvo que buscarse la vida desde joven. Su padre era cirujano, un oficio muy poco apreciado en aquel tiempo, que consistía en curar heridas y hacer las labores de un barbero.

El farero se subió a una roca que estaba junto al molino. Yago levantó la cabeza y al verlo allí arriba, con el sol a sus espaldas reverberando en torno a él, volvió a pensar que aquel hombre era bastante raro.

—Cuando tenía veintitrés años —siguió hablando desde la roca—, Cervantes se alistó como soldado raso en los tercios españoles. En el escalafón más bajo: de arcabucero. Y como en aquel tiempo los turcos amenazaban con dominar el Mediterráneo, se formó una armada de 300 navíos de guerra para enfrentarse a ellos junto al canal de Lepanto. Aquel viaje fue para Cervantes un infierno. Durante la travesía padeció la malaria, y pasó los días de navegación tumbado en un camastro, mareado y con fiebre. Y en esas condiciones tuvo que combatir en aquella batalla, que fue tan cruenta que dejó el mar teñido de sangre y convertido en cementerio de cadáveres, barcos hundidos y tablas rotas que flotaban en un mar de muerte. Cervantes fue alcanzado durante el combate por una metralla de arcabuz y se quedó manco de la mano izquierda.

Yago lo escuchaba sorprendido. Habían ido allí porque el farero les dijo que iba a enseñarles algo que había encontrado. Lo que les había enseñado no era más que el molino; por eso se preguntaba qué podía haber allí y si el farero ya lo conocía. Se volvió para observar las piedras de la pared. Algunas estaban desencajadas, torcidas, gastadas por el paso del tiempo. Aquel molino, pensó Yago, era más viejo que Cervantes.

El farero les seguía contando que cuatro años después de la batalla de Lepanto, Cervantes volvió a España en una galera. Las rutas del Mediterráneo estaban entonces infectadas de piratas berberiscos, que asaltaban los navíos, robaban las mercancías y cogían prisioneros a los marineros para llevarlos a África y venderlos como esclavos. La galera en la que viajaba Cervantes se quedó aislada por una tormenta. Por la popa se le acercaron tres navíos corsarios, abordaron la nave, hicieron cautivos a los que sobrevivieron del combate y los llevaron a Argel. Cervantes tenía veintiocho años. Y estuvo cautivo ¡cinco años y medio!

—¿Y cómo salió de allí? —preguntó David.

—Pues intentó fugarse tres veces; pero las tres fracasó. Menos mal que los frailes trinitarios se dedicaban a rescatar cautivos, pagando el dinero que daban por ellos sus familias. Por Cervantes pagaron 250 escudos. Eso valía su vida: el precio de un esclavo.

—¿Y se casó? —preguntó entonces Blanca, mientras Yago se volvió a mirarla sorprendido de que le interesara saber eso de Cervantes.

—Cuando tenía treinta y siete años. En un pueblo de Toledo, donde conoció a una joven que no había cumplido los veinte años. Se llamaba Catalina de Salazar.

El farero les contó que Cervantes aguantó en aquel pueblo perdido tres años, y entonces se marchó a vivir solo a Sevilla. Allí se ganó la vida como comisario encargado de requisar trigo y aceite en toda Andalucía para abastecer los suministros de las galeras del rey Felipe II. Pero nadie quería pagar; y hasta fue excomulgado por el Vicario General de Sevilla, cuando requisó a la fuerza el trigo de los impuestos a los canónigos.

—Al poco tiempo, Cervantes estaba cansado —comentó el farero—. Desengañado. Solo. Harto de recorrer caminos de polvo sobre una mula. ¿Sabéis qué edad tenía? ¡43 años! Y vivía separado de la hija que tuvo en Madrid con la joven esposa de un tabernero. Y estaba lejos de su mujer, Catalina, con quien se había casado para tener al menos las tierras de ella: un huerto, algún olivo, viñas y gallinas. Pero en realidad no tenía nada. Y estaba solo.

Yago miró al farero que seguía de pie sobre las piedras, contemplando el horizonte. Su voz se había ido apagando. Así era el farero: unas veces trueno y otras solo bruma. Era imposible saber qué había detrás de la mirada de ese hombre inestable. Yago lo miró y tuvo hacia él un sentimiento de pena que no había experimentado hasta entonces. ¿Por qué siempre les contaba historias de gentes que habían vivido alguna situación parecida a la suya? Cervantes, sí, estaba solo; pero el farero más.

—En esos años —les contaba—, Cervantes publicó alguna novela y buscó ganarse algún sueldo escribiendo obras de teatro. Pero tuvo poco éxito. Decidió entonces probar la suerte de las Américas, soltar amarras, dejarlo todo otra vez, y empezar de nuevo la vida como emigrante. Es el sueño de tantos...

Como si algún plan estuviera bullendo en su cabeza, el farero se quedó mirando hacia la lejanía, allá donde las aguas del mar bañaban las costas de otros países, en las que era posible comenzar a vivir de nuevo. Eso es lo que quiso hacer Cervantes. Un día cogió la pluma y escribió al presidente del Consejo de Indias, contándole cómo fue soldado y batalló al servicio de su Majestad, cómo padeció cárcel cinco años en Argel, apresado por los berberiscos, cómo fue rescatado por los trinitarios gastándose su familia toda la hacienda, cómo había servido en Sevilla a la Armada; «y en todo este tiempo —escribió— no se le ha hecho merced ninguna. Pide y suplica humildemente cuanto puede a V.M. sea servido de hacerle merced de un oficio en las Indias, de los tres o cuatro que al presente están vacos, que es el uno la contaduría del nuevo Reino de Granada, o la gobernación de la provincia de Soconusco en Guatemala, o contador de las galeras de Cartagena, o corregidor de la ciudad de la Paz; que con cualquiera de estos oficios que V.M. le haga merced, la recibirá, porque es hombre hábil y suficiente y benemérito».

La respuesta que recibió fue escueta y poco amable: se le devolvió el pliego de su carta con una anotación al margen, en donde se le decía sin más: «busque por acá en que se le haga merced». Lo que hoy sería algo así como: «búsquese la vida y no maree».

—Así malvivía Cervantes —añadió el farero—. Y unos años después, trabajando como recaudador de tasas para el Tesoro, el financiero a quien entregó el dinero recaudado se fugó con todo. Y Cervantes fue encarcelado en Sevilla durante meses.

El farero cogió el voluminoso libro del Quijote, puso los dedos sobre el lomo de las hojas y las dejó pasar con el pulgar.

—¿Caben más desengaños? —les preguntó—. Pues en esas circunstancias, detrás de los barrotes de la cárcel de Sevilla, fue donde imaginó la historia de un hombre que decidió irse por el mundo para corregir las injusticias, montado sobre un caballo flaco.

El farero se inclinó para mirar a los tres, que estaban de pie, frente a él, y les ordenó:

—Vamos a buscar alrededor del molino, por si encontramos alguna pista sobre el paradero del maestro.

Y todos se pusieron a andar, mirando al suelo, buscando alguna marca, un espacio donde la tierra removida indicara que algo había sido enterrado en aquel lugar. Terminaron de rodear el molino y de mirar por las cercanías, pero no encontraron nada. Yago recelaba si el farero podía sospechar que ellos tenían una copia del plano. Por eso él se habría adelantado a llevarlos llí: para ver lo que sabían y para mandarles hacer después lo , e a él le conviniera. De estos pensamientos le sacó la voz áspera del farero, que les ordenó de repente, como si ya no importara lo que estaban buscando:

—Si no os dais prisa en volver a la aldea, se os hará de noche por el camino.

Y sin acabar de decirlo, él comenzó a andar hacia el faro. Cuando había dado unos pasos, se detuvo, se volvió hacia ellos y les gritó con voz ronca:

—A veces las cosas no son lo que parecen. Eso es lo que aprende Don Quijote. Venid mañana al faro, porque ya sé dónde tenemos que buscar.

El cielo se había oscurecido y las nubes en el horizonte ya no parecían llamas de una hoguera sino brasas, cenizas y humo.

—Nos está engañando —le comentó Blanca a Yago—. Solo quiere confundirnos.

κ

De noche le mataron

Yago sostenía la libreta del maestro, mientras miraba a través de la ventana de su habitación los árboles amarillentos y las tierras pardas que se preparaban para recibir los fríos invernales. De vez en cuando volvía a releer esas páginas, esperando encontrar alguna pista que no hubiera sabido interpretar antes. Aquella libreta era un cuaderno de bitácora del maestro: unas hojas sueltas en las que quiso anotar los vientos que zarandeaban la navegación de su vida. Porque a veces necesitamos reflejar en un papel los sentimientos para reconocernos en ellos. Pero a Yago eso no le interesaba entonces; él solo quería saber si aquellos apuntes encerraban alguna clave sobre su misteriosa desaparición. El resto eran dudas.

Sé cómo llegué a este callejón en que me encuentro.

Leyó Yago aquellas palabras escritas por el maestro, y al hacerlo recordó su voz, cuando les hablaba entre las paredes húmedas de la escuela.

Pero nuestra obligación no es solo conocer el pasado. Hemos de mirar al presente y proyectar desde él el futuro que queremos para nosotros. Cada uno ha de saber qué quiere ser y empeñarse en conseguir-

lo. *Si no lo hacemos así, seremos como el agua empotrada del arroyo. Iremos adonde nos lleve la corriente de la vida. Y cuando nos queramos dar cuenta, veremos cerca las aguas del mar y ya habremos muerto.*

Yago cerró la libreta. No se encontraba con ánimo para seguir leyendo.

—¿Qué haces? —le preguntó su madre desde la puerta.

—Estoy leyendo —respondió con poco ánimo.

—Siempre leyendo... —le reprochó—. Podías ayudarme a remendar las redes...

Yago no contestó. ¿Qué sabía su madre de las turbulencias que aquellos días removían su ánimo? Se levantó y fue a la cocina a beber agua, mientras su madre salía a la puerta de la casa, donde se había puesto a recoser unas redes. Cuando Yago regresaba a la habitación, lo llamó mientras cruzaba el pasillo.

—¡Yago...!

Pero él no prestó atención. No se detuvo y siguió hacia su cuarto. Hay días que es mejor no hablar con nadie, pensaba mientras sentía su ánimo confuso.

En aquel tiempo el pueblo vivía tranquilo, como si la Guerra Civil no le afectara. Asomado a los acantilados del mar, quedaba lejos de donde se estaban librando los combates. No llegaban hasta allí el estruendo de los morteros, el chirrido de las ruedas oxidadas de los carros de combate, las ráfagas de metralleta, la explosión de las bombas lanzadas desde los aviones. Y sin embargo, un ambiente extraño envolvía la atmósfera de El Faro. Algunos del pueblo habían muerto esos meses. El padre de Yago estaba en el frente, expuesto a las balas que escupían los fusiles del otro lado de las trincheras. Él y los demás chicos sentían un temor difuso. Apenas hablaban de ello, pero no podían evitar verse arrastrados a veces por un sentimiento indefinido de recelo.

Yago volvió a encerrarse en el cuarto. Pero no había pasado mucho tiempo cuando oyó cómo su madre hablaba con alguien en la calle. Escuchó la voz de Blanca y eso le animó al instante. Guardó todo aprisa y bajó corriendo las escaleras.

Blanca había crecido de una forma sorprendente en las últimas semanas. Yago la miraba y la veía distinta. Se percataba de cómo su cuerpo había dejado de ser el de una niña.

—¿A dónde vais? —preguntó su madre.

—Por ahí... —gritó Yago mientras se alejaban.

—Más valdría que me echaras una mano —replicó ella.

Cuando dejaron atrás la casa, Blanca se volvió hacia Yago.

—Necesitaba verte —le dijo.

Al pronunciarlo, le sonó como una declaración demasiado íntima; así que inmediatamente añadió:

—... Para contarte lo que he leído.

Y Yago, sin embargo, respiró hondo y se le iluminó la cara... Es curioso cómo unas simples palabras nos pueden alegrar el día.

Blanca sacó de un bolsillo el papel doblado donde había copiado el mapa que guardaba celosamente el farero. Lo extendió, se lo dio a él para que lo agarrara de uno de los extremos y así, estirado, fue señalando con el dedo:

—Este es el faro, la línea de la costa y el embarcadero. Aquí están los bosques de pinos y aquí la chopera. Estas son las casas del pueblo. Y aquí está la fuente. Hemos seguido este camino y hemos llegado hasta el molino. Este es.

—Hemos hecho la mitad del camino —dijo Yago—; pero nos falta saber qué significan los otros dibujos.

—¿Tú qué ves aquí? —le preguntó Blanca señalando un recuadro.

—2 mil : 5.

—2 mil : 5 —repitió ella—. ¿Te suena de algo?

—A mí no.

—2 mil : 5... —se quedó pensativa.

—¿No has dicho antes que has leído otro libro? —le preguntó Yago.

—Sí.

—¿Y ahí no dice nada?

—De eso no; pero no te lo vas a creer... Se titula *El caballero de Olmedo*. ¿Y a que no sabes cómo se llamaba?

—¿Quién? —le preguntó Yago.

—El caballero de Olmedo.

—Cómo lo voy a saber...

Yago se ruborizó al darse cuenta de que ella le estaba mirando y había visto que él, en ese momento, estaba fijándose en el volumen de sus pechos.

—Se llamaba don Alonso, como el maestro. ¿Y a que no sabes qué le pasó?

—Que desapareció —aventuró Yago, rojo como un tomate.

—No; ¡que lo mataron!

Yago se volvió hacia ella, con un gesto de asombro, intentando prestar atención a lo que ella le decía más que a las curvas de su cuerpo.

—¿Lo mataron?

—Eso es.

—¿Y por qué?

—Por una historia de amor con una mujer —contestó Blanca—. Por venganza y por celos.

Yago se acordó entonces de lo que les había contado el farero: su amor por una mujer, que no sabían quién era ni por qué la perdió.

—Alonso se enamoró de una mujer que vivía en un pueblo cercano al suyo —comenzó a contarle Blanca—. Se llamaba Inés. Su padre quería casarla con otro hombre. Por eso le advirtió a Alonso que no siguiera viéndola. Pero él no hizo caso. Una noche, cuando salía de estar con ella, se le plantó delante una sombra. Llevaba máscara negra y sombrero, y tenía la mano en el puño de la espada.

—¿Una sombra?

—Sí: un hombre enmascarado. Era un aviso de que le esperaban para matarlo. Pero él no lo tuvo en cuenta y se puso en camino, de noche, solo, para regresar a Olmedo. Y allí lo mataron. Mira lo que pone en el libro:

> Que de noche le mataron
> al caballero,
> la gala de Medina,
> la flor de Olmedo.
> Sombras le avisaron
> que no saliese,
> y le aconsejaron
> que se fuese
> el caballero,
> la gala de Medina,
> la flor de Olmedo.

—¿Ves? —lo miró Blanca con los ojos tan abiertos que él se fijó en sus pupilas, profundas como las aguas del mar—. Están subrayadas con tinta roja las palabras «que de noche le mataron».

—¿Y qué quiere decir eso?

—No lo sé... Y tampoco sé si tiene algo que ver con lo que pone en el plano.

—Tal vez el maestro presentía que podía pasarle algo grave.

—Quizá se enteró de que querían matarlo.

—¿Pero quién iba a matarlo? ¿Y por qué?

—Por envidia —sugirió Blanca—. O por celos. O por venganza... Esos son los motivos por los que matan a Alonso en el libro. Y también por el amor de una mujer.

Los dos se quedaron pensativos. Al rato Blanca preguntó:

—¿Te das cuenta de que en el libro está subrayado que lo mataron y que el plano puede decirnos dónde?

—Sí, pero aquí lo que pone es 2 mil : 5 —le dijo él señalando la inscripción con el dedo.

—Eso algo quiere decir —insistió Blanca.

—¿Tú crees que lo sabrá el farero?

—Seguro. Él está implicado en esto. Estoy convencida.

Estuvieron dudando qué podían hacer. ¿Seguir investigando ellos solos? ¿Dejarse guiar por el farero? Ya no confiaban en él: pensaban que los estaba engañando. Pero aunque no les gustase, la realidad era que lo necesitaban. Dependían de él. El farero sabía más del maestro que ellos mismos. Si les ocultaba algo, lo que tenían que hacer era descubrirlo. Si era culpable, su misión era desenmascararlo.

—¿Qué hacemos? —preguntó Yago.

—¿Y si le decimos al farero que alguien ha podido matarlo? —propuso Blanca.

—¿Para qué?

—Para ver cómo reacciona.

—Si él está implicado... ¿tú crees que así lo vamos a descubrir?

—Al menos se pondrá nervioso.

—Y con eso ¿qué?

—Bueno... Ya veremos...

Yago no estaba seguro de que esa fuera una buena idea.

—No sé... —mostró sus recelos balanceando la cabeza.

Pero Blanca lo agarró del brazo, estiró de él y no le dio otra opción:

—Vamos ahora mismo a ver qué hace cuando nos vea aparecer y se lo digamos de repente.

*

El invierno había traído una bruma gris que se agarraba a las rocas de la costa y lo envolvía todo con una humedad desapacible. Estaba encendida la chimenea del faro, pero hacía frío en aquel torreón de piedra levantado en medio de la niebla.

—Eso es lo que está subrayado en este libro —dijo Blanca con vehemencia—: ¡que lo mataron!

—Ése es un libro del siglo XVII... —le replicó el farero—. Un tiempo que fue penoso para España: el siglo de la decadencia y del desengaño. Los escritores decían que la vida no es más que un breve camino hacia la muerte. Y la muerte se convirtió en uno de los temas habituales de los libros.

Calló un momento y se quedó mirándolos fijamente, como si quisiera averiguar qué pensaban ellos. Enseguida añadió:

—Por eso quizá no tengan importancia esas palabras del libro.

—Pero el maestro las destacó con una línea roja —protestó Blanca—. Y en los otros libros siempre ha tenido sentido aquello que estaba subrayado.

—Esas palabras son una copla que la gente comenzó a cantar cuando un hombre fue asesinado en el camino entre Medina y Olmedo.

—Pues si esa historia es real —insistió Blanca con desconfianza—, hay más motivos para creer que el maestro quiso denunciar con ella algo que podía ocurrirle.

—¡No! —contestó inmediatamente el farero con brusquedad—. Esa historia no es más que un suceso en el que se inspiró Lope de Vega para escribir una obra de teatro.

Les hablaba con convencimiento, pero a Blanca le pareció que ese tono era fingido, que realmente lo habían sorprendido y él buscaba la manera de disuadirlos.

—En el siglo XVII —siguió diciendo, como si deseara distraerlos de lo que ellos pensaban— el teatro era la diversión más importante que había en los días grandes de fiesta. Y Lope de Vega fue el autor de teatro que más triunfó. Porque supo encontrar historias que gustaban a la gente: conflictos de capa y espada, comedias de amor, dramas de honra, venganzas.

Blanca sintió frío. Miró hacia la chimenea y vio cómo ardían los troncos crepitando en medio de las llamas. El farero seguía hablando, pero ella solo se fijaba en su rostro, buscando algún gesto que lo delatara. Fingía estar sereno, pero ella sabía que no era verdad. El farero era un hombre airado. Y ella no quería dejarse engañar. Ella solo pensaba en un crimen.

—El que mejor aprendió los trucos de Lope de Vega fue Calderón de la Barca —les dijo.

El farero se levantó para acercarse a la chimenea. El fragor de las llamas se había ido apagando. Se puso de cuclillas sobre el fuego, acercó a las brasas las manos abiertas y volvió a levantarse mientras las frotaba, calentándose. Les miró a los dos, que permanecían quietos, como dos espectadores pasmados y silenciosos. Se fijó en la expresión desconfiada de Blanca. Se acercó a ella y le preguntó con una voz retadora, abandonando el tono conciliador con el que les había hablado hasta entonces.

—A ver, tú, ¿te parece que el hombre es responsable de lo que hace? ¿Te parece que es libre? ¿Que podemos condenar a cualquiera?

Ella frunció los labios desconcertada.

—Yo no —intervino entonces Yago—. Yo no soy libre.

—¿Por qué? —le preguntó el farero acercándose a él.

—Porque yo no puedo hacer lo que me da la gana. Quien manda es mi madre.

—La libertad es poder escoger. Tú puedes escoger muchas cosas: decides cada día si vienes aquí o te quedas en casa, por ejemplo. Y puedes pensar lo que quieras: si David es sensato o mequetrefe; y decides si se lo dices a él a la cara o no se lo dices. ¿Es eso ser libre?

—Bueno... —dudó Yago.

—Y pronto habrás de decidir a qué trabajo quieres dedicarte: si pescador o marino, tendero o leñador...

—Yo lo que diga mi padre.

—¡No! —gritó el farero acercándose más a él—. Cada uno ha de construirse su propia vida y dejar que los demás se hagan también la suya.

Se quedó mirándolo en silencio, con el rostro tan cerca del suyo que Yago se fijó en las muchas arrugas que lo surcaban.

—Y podrás escoger la mujer con la que quieras vivir el resto de tu vida.

Yago pensó en Blanca y miró al suelo, turbado. Sentía cómo el rubor le subía hasta las mejillas y no quería que el farero lo viera así; ni Blanca, que estaba sentada junto a él.

—No dejes que nadie te arrebate ese derecho —le oyó decir entonces al farero.

Lo dijo con firmeza, como si se lo reprochara a sí mismo.

—Pero yo no he podido elegir dónde nacer ni en qué pueblo vivo —se atrevió a decir Yago.

—Eso es cierto —reconoció el farero—. ¿Entonces cada uno nacemos ya predestinados?

Se quedó mirándolo; y ante su silencio, se apartó un poco más de él y dijo:

—Cosas así se preguntaba Calderón en sus obras de teatro. Os contaré una historia.

Blanca estaba inquieta. No habían ido allí para escuchar historias del pasado. Lo que ellos querían averiguar era qué había ocurrido con aquel hombre que había desaparecido de repente. Eso estaba pensando, cuando se dio cuenta de que el farero la miraba más fijamente que nunca, sin pestañear, clavando sus ojos en los suyos, como si quisiera amedrentarla:

—Mirad. Un rey de Polonia, que se llamaba Basilio, al nacer su hijo Segismundo consultó a los magos de la Corte sobre el destino que le vaticinaban las estrellas. El veredicto que recibió fue terrible: los astros predecían que su hijo Segismundo se iba a levantar en armas contra su propio padre para coronarse como monarca. Y que después se iba a comportar como un tirano con su pueblo. Entonces el rey, asustado, lo encerró nada más nacer en una torre, aislada como este faro. Pasados los años, Segismundo ni siquiera sabía que existía otro mundo más allá de esas paredes de piedra en las que había vivido siempre. No conocía el mar ni el roce del viento. No había sentido nunca la suavidad de una piel ni conocía la ternura de la caricia de una mujer. No había experimentado el vértigo de estar solo en la cima de un acantilado, con la libertad a cuestas. Y un día, vestido de pieles, arrastrando unas gruesas cadenas que lo ataban al muro dentro de la torre, con una mísera candela de luz en la mano, se preguntó desesperado:

¡Ay, mísero de mí, y ay, infelice!
Apurar, cielos, pretendo,
ya que me tratáis así
qué delito cometí
contra vosotros, naciendo.
(…)
Sólo quisiera saber
para apurar mis desvelos
(dejando a una parte, cielos,
el delito de nacer),
qué más os pude ofender
para castigarme más.
¿No nacieron los demás?
Pues si los demás nacieron,
¿qué privilegio tuvieron
que yo no gocé jamás?

La voz del farero resonaba áspera entre las paredes de piedra del faro. Afuera había empezado a atardecer y la luz entraba triste por las ventanas. Blanca se imaginó al farero como un Segismundo solitario encerrado entre esas cuatro paredes desde hacía tanto tiempo… Un hombre así es capaz de cualquier cosa. Lo miró con miedo y sintió un escalofrío.

Mientras no dejaba de observarla fijamente, el farero tiró sobre la mesa el libro que había cogido para leerles esos versos de La vida es sueño. Sonó un golpe seco, que asustó a los muchachos que le escuchaban atemorizados. En la chimenea se derrumbaron los troncos quemados convertidos en cenizas. Blanca miró con ojos de espanto al farero, mientras pensaba: ¿de qué es capaz un hombre solo y desesperado?

λ

La hora clave

David oía ruidos que le llegaban mitigados y borrosos. Era un choque de objetos metálicos, como cuando se rozan las cacerolas colgadas en la alacena. El eco le llegaba leve, como si el sonido cruzara un campo de niebla. Después, habló una voz ronca y distante que pronunció unas palabras imposibles de entender. Y al poco tiempo, un golpe resonó seco en la oscuridad. Oyó unos pasos de alguien que pisaba con firmeza en la madera de la habitación y se acercaba decidido. Sintió los pies helados y dolor en la garganta.

—Vamos —dijo una voz autoritaria mientras le zarandeaba las piernas—. Es la hora.

Abrió los ojos. Quiso incorporarse, pero el cuerpo no le respondía, atado por la laxitud del sueño.

—Me duele la garganta —pronunció con pereza.

En la habitación se hizo el silencio. En un instante volvieron a sonar los mismos pasos, alejándose. David retornó al abandono adormecedor del sueño. Volvió a oír conversaciones entrecortadas, pasos, maderas que crujían y al final, el golpe seco de la puerta cuando los hombres salieron de casa.

La mañana era fría y húmeda. Los leñadores aprovechaban aquellos días invernales para limpiar el bosque. Arrancaban los árboles muertos, cortaban ramas secas, podaban los troncos que crecían desordenados y talaban los arbustos que habían nacido en los senderos del monte. Limpiaban así el bosque para mantenerlo accesible, protegerlo de los calores e incendios del verano y aprovechar la madera muerta. En unos días transportarían esos troncos cortados para alimentar los fogones y calentar las chimeneas de las casas.

David ayudaba a su padre en esas tareas, pero aquel día le pudo la desgana. Tenía que levantarse pronto, pasar todo el día trabajando y volver a casa cuando el sol ya se había ocultado y las primeras sombras de la noche cubrían la aldea. Así que se quedó zanganeando en la cama, con la disculpa de un dolor de garganta.

Al cabo de un par de horas se levantó y fue a desayunar a la cocina. Pasaron unos pocos minutos antes de que su madre se asomara a la puerta y le organizara un escándalo: si estaba enfermo no debía levantarse; y mucho menos plantarse medio desnudo en la cocina.

—¡A la cama! —acabó la arenga su madre, sin dejarle responder.

Y David, que había enmudecido, se fue azorado a la habitación, pensando que le esperaba un mal día y que tal vez habría estado mejor amontonando leña en el monte con sus hermanos.

Pasó un rato amodorrado entre las sábanas. Pronto comenzó a dar vueltas, aburrido. La mañana se le hizo eterna hasta la hora de comer. Y para su desgracia, su madre le llevó a la cama un solo plato, con una triste sopa de enfermo.

—Para que no tengas el estómago pesado —le dijo.

Al poco tiempo oyó la voz de Yago que lo llamaba desde la calle. Iba a incorporarse, cuando escuchó a su madre que le gritaba con destemplanza desde la ventana que estaba enfermo y que lo dejaran en paz, porque no iba a levantarse en todo el día. David golpeó enfadado el colchón con la palma de la mano: las cosas se le estaban poniendo bastante difíciles...

Al cabo de un rato, se levantó con sigilo, fue hasta la mesa y, para entretenerse, cogió el libro que le había entregado el farero el último día que estuvo con los demás en los acantilados. Con él en la mano volvió aprisa a tumbarse en la cama. El libro estaba marcado en el lomo con la letra λ. Lo abrió y leyó unas páginas que hablaban de la poesía del barroco y de los estilos literarios del siglo XVII: el conceptismo, representado por Quevedo, y el culteranismo, por Góngora. Estos dos poetas no podían verse y cada uno escribió versos insultando al otro. La literatura también es burla y escarnio. Las palabras pueden hacer reír y pueden hacer llorar. Porque las palabras consuelan, pero también hieren.

En el libro había dos grabados que representaban a los dos poetas: Quevedo, con las gafas de lentes redondas, bigotes afilados, una barba de chivo, melena rizada y mirada maliciosa. Góngora, envejecido, con la frente calva y despejada, nariz judía, ojos achinados y una línea de enfado en los labios de la boca. Leyó a Góngora:

> Era del año la estación florida
> en que el mentido robador de Europa
> —media luna las armas de su frente,
> y el Sol todos los rayos de su pelo—,
> luciente honor del cielo,
> en campos de zafiro pace estrellas.

Todo eso escribió Góngora para expresar que era la primavera. Así escribían los culteranos.

Cuando la habitación empezaba a oscurecerse con la penumbra del atardecer, David se fijó en una de las páginas en la que había una anotación en el margen de uno de los poemas.

Leyó el poema varias veces, sorprendido, intentando averiguar qué querría decir y qué mensaje transmitían aquellas palabras sobre el paradero del maestro:

¡Fue sueño ayer; mañana será tierra!
¡Poco antes, nada; y poco después, humo!
Y destino ambiciones y presumo
¡apenas punto al cerco que me cierra!

Breve combate de importuna guerra,
en mi defensa soy peligro sumo;
y mientras con mis armas me consumo,
menos me hospeda el cuerpo que me entierra.

Ya no es ayer; mañana no ha llegado;
hoy pasa, y es, y fue, con movimiento
que a la muerte me lleva despeñado.

Azadas son la hora y el momento
que, a jornal de mi pena y mi cuidado,
cavan en mi vivir mi monumento.

Eso escribió Quevedo; y el maestro había señalado unas palabras con tinta roja: «la hora y el momento». En el margen había dibujado un símbolo: un círculo y una pequeña línea encima; y en el interior, un número: el 5.

¿Qué era aquello?, se preguntaba David en la cama, solo y aburrido, mientras las sombras de la tarde comenzaban a envolver el mundo. Los párpados se le empezaron a cerrar y cabeceó un par de veces antes de abandonarse al sopor. En su imaginación, descontrolada por el sueño, vio una azada cavando la tierra y un cuerpo tirado en el suelo, junto al montón de barro. Intentó fijarse en los rasgos de su rostro y comprobar si era la cara del maestro la de ese cuerpo abandonado. Pero junto a él oyó una risotada y, al volverse, vio el gesto malicioso de Quevedo, según el retrato que se reproducía en el libro; y detrás de él, la mirada triste y perdida del viejo Góngora. Al rato escuchó pasos, cada vez más sonoros; hasta que llegaron junto a él y una voz amable le preguntó:

—¿Cómo estás, David?

—Bien —respondió él, incorporándose sobresaltado, obligado a abandonar de repente los terrenos pantanosos del sueño—. Me encuentro mucho mejor.

—Quédate mañana en la cama, si lo necesitas —oyó decir a su padre.

—No, no —respondió inmediatamente David, escarmentado—. Puedo levantarme. Me sentará bien salir de casa.

μ

¿Quién es esa mujer?

Durante aquellos días de invierno El Faro parecía un pueblo deshabitado. Los hombres salían temprano al monte o bajaban hasta la costa donde estaban amarrados los barcos de la pesca. Las mujeres se encerraban en las casas. Y las calles quedaban solitarias y en silencio. Por la mañana, la niebla envolvía los edificios y la aldea adquiría un aire un poco fantasmal, como si estuviera construida dentro de una nube.

Los acantilados rocosos de la costa protegían el pueblo de la furia del mar y lo hacían inaccesible. Por el lado opuesto, los bosques, las inacabables ondulaciones de la tierra y las piedras ariscas de las montañas lo aislaban de los caminos. El Faro era un pueblo perdido en una esquina del mundo.

Muy lejos del pequeño prado en el que se levantaban sus casas, detrás de las colinas de hierba, cruzando los riscos rocosos de las montañas, atravesando mesetas y valles que los habitantes de El Faro ni siquiera imaginaban, más allá de todo eso, caían aquellos días las bombas arrojadas por los aviones, en una ofensiva militar que pretendía ser definitiva. Su estruendo no se escuchaba en las praderas verdes de El Faro; pero lejos, aunque los habitantes de aquella aldea no lo viesen, saltaban por los aires las paredes deshechas de los edificios. Temblaba la tierra en barbecho con el paso chirriante de los carros blindados. Y cada día morían a espuertas los hombres que llevaban sus fusiles colgados en la espalda.

Las tierras de El Faro se humedecían con la niebla, pero a lo lejos otras tierras quedaban empapadas de sangre y los campos sembrados de cuerpos mutilados y de ilusiones rotas que nunca iban a germinar.

De todo eso la gente hablaba poco en el pueblo. Apenas sabían con exactitud qué estaba ocurriendo al otro lado de las montañas. La vieja radio del tendero era la única información de la que disponían, y cuando escuchaban en ella los partes de la guerra les parecía oír algo tan ajeno a su vida, que lo sentían distante y extraño, como si ocurriera en otro mundo. Todo sucedía lejos y al otro lado. Hasta aquel rincón de tierra arisca no llegaba nada. Solo el miedo. El silencio lo envolvía todo. Como si una burbuja fantasmal aislara El Faro del resto de la península y lo llenara de un temor que nadie se atrevía a nombrar.

Alguna vez se oía el ronroneo de un avión que cruzaba el cielo, protegido por el manto de nubes; y ese sonido despertaba por unos días la expectación de los habitantes. Solo entonces eran conscientes de que vivían un tiempo de espera, mientras a lo lejos se estaban matando gentes que compartían las calles de las mismas ciudades. El tiempo se había estancado en aquellas colinas húmedas, sobre sus cabezas y en el aire brumoso de sus tierras. Pero esa quietud era engañosa. Porque la niebla oculta los objetos que hay detrás de ella; pero están ahí, aunque no los veamos.

*

Cuando Yago cruzó el portal para salir a la calle, su madre asomó la cabeza desde la cocina y le preguntó:

—¿A dónde vas?

—Por ahí —respondió él de un modo impreciso.

—¿Y quién te ha dado eso? —se interesó ella, señalando el libro que llevaba en la mano.

Yago dudó un momento, antes de responder:

—El farero.

—Cuidado con ese hombre —le previno.

—¿Por qué? —le preguntó Yago, que se había detenido junto a la puerta.

—Qué más da... Tú ten cuidado —respondió ella de forma esquiva. Y añadió—: Mejor habría hecho marchándose del pueblo.

La mujer entró en la cocina sin decir nada más. Yago guardó el libro en el bolso del abrigo, empujó la puerta y salió al frío de la calle. Caminó aprisa, acuciado por el aire gélido de la mañana, mientras pensaba en las palabras que le había dicho su madre. Giró hacia la casa de Blanca; dio una pequeña carrera y se plantó delante de su puerta.

Mientras la esperaba en la calle, se pasó la mano por la barbilla. Sintió cómo le rascaban los pelos dispersos que habían comenzado a crecerle en la cara. Se tocó sobre los labios y sintió una línea un poco más espesa bajo la nariz. No le molestaba aquel amago de bigote ni el roce de los pelos aislados en la barba. Lo que de verdad le molestaban eran los granos que notaba en la frente.

Cuando ella salió de casa, enfilaron juntos el camino del regato que bajaba hacia la costa. Blanca tenía el plano guardado en el bolsillo del vestido, para verlo juntos. Llevaba el pelo recogido y unos mechones sueltos le acariciaban la cara cuando ella se balanceaba caminando por el sendero. Yago, a su lado, no sabía qué decir. Eso no le pasaba antes. Si no fuera tan tonto, pensaba, se plantaría frente a ella, para mirarla despacio, descaradamente, sin preocuparse. Y solo con pensar eso, ya se ponía nervioso. Juntó las manos y las frotó para calentarlas. Blanca se detuvo, se volvió hacia él y le dijo:

—Haz así.

Le agarró las dos manos, las juntó con las palmas hacia arriba, haciendo un cuenco, se las acercó un poco a los labios y sopló su aliento cálido sobre ellas.

—Haz así, y verás cómo se calientan...

Yago sintió la tibieza del vapor y la suave presión de los dedos de Blanca en la piel. Aturdido, sopló un par de veces. Entonces ella se giró de nuevo y comenzó a andar, sin soltarle la mano.

Iban así, cuando giraron la revuelta del camino que desembocaba en los muros de piedra del viejo refugio, al que se llegaba siguiendo el regato desde la fuente. Su sorpresa fue que allí, de pie, frente a ellos, estaba el farero. Al verlo se quedaron desconcertados; se detuvieron y se soltaron las manos instintivamente. ¿Qué hacía allí de nuevo? Él los miraba sin mostrar ningún asombro. ¿Los estaba esperando? ¿Quería que le devolviesen el plano que habían copiado?, pensó Yago. ¿Sabía algo de las sospechas que tenían contra él?

Llevaba el jersey rojo con el cuello alto tapándole hasta la barbilla y se había puesto el viejo gorro de lana de los días de invierno. Alrededor del cuello le colgaba una soga de cáñamo, larga, que le caía sobre el pecho, enrollada en varios círculos. ¿Para qué la quería? Pero lo que les dejó atónitos fue ver que en la mano tenía un cuchillo, con el que estaba abriendo un surco en un palo grueso que sostenía con la otra mano. Nada más verlos, sacó del bolsillo de la zamarra un libro y se lo pasó a Yago sin otro saludo.

—A ver si sabes de qué está hablando Lope —le dijo.

Yago no tuvo más remedio que leer en voz alta la página que él le dejó abierta:

Desmayarse, atreverse, estar furioso,
áspero, tierno, liberal, esquivo,

alentado, mortal, difunto, vivo,
leal, traidor, cobarde y animoso;

no hallar fuera del bien centro y reposo,
mostrarse alegre, triste, humilde, altivo,
enojado, valiente, fugitivo,
satisfecho, ofendido, receloso;

huir el rostro al claro desengaño,
beber veneno por licor süave,
olvidar el provecho, amar el daño,

creer que un cielo en un infierno cabe,
dar la vida y el alma a un desengaño:
esto es amor, quien lo probó lo sabe.

Cuando terminó de leer, Yago levantó la vista hacia el farero. Blanca le miraba expectante.

—El amor también es desengaño —les dijo—. Y Lope de Vega lo sabía bien —calló un momento y añadió para sí mismo, como si recordara su penosa historia personal—: El amor también hace sufrir.

Blanca seguía en silencio. Se habían quedado los dos tan sorprendidos que no reaccionaban. Estaban paralizados. Sentían como si el farero les hubiera descubierto en una situación inoportuna. O como si se hubiera inmiscuido en un secreto que solo deberían conocer ellos dos.

No se había levantado todavía la neblina que se agarraba a las rocas de la costa todos los amaneceres húmedos de aquel invierno. El mar aparecía gris y el aire traslúcido no dejaba ver la lejanía que se extendía más allá de las primeras ondulaciones de las olas. Repentinamente, el farero comenzó a andar sin decirles nada, por la senda que llevaba a la orilla de la costa. Ellos se miraron sin saber qué hacer. Pero Blanca, más decidida, le hizo un gesto a Yago, que este interpretó como «vamos tras él, a ver qué hace». Lo siguieron durante un rato, unos pasos detrás de él, hasta que de repente el farero se volvió hacia Blanca.

—¿Quieres saber lo que le ocurrió a una chica como tú, que tenía dieciséis años? —le preguntó, señalándola con el cuchillo que tenía en la mano—. Se había enamorado de un joven que había llegado a la ciudad en la que vivía. Ocurrió hace muchos años, cuando las muchachas se casaban más jóvenes que hoy. Los dos se querían, pero la madre de ella la había prometido en matrimonio a un adinerado burgués que era muy mayor, pero que tenía una posición económica desahogada. Y ella, por no contrariar a su madre, estaba dispuesta a someterse obediente a esos planes. ¿Qué te parece? —le preguntó a Blanca.

—Bueno... —dudó ella, sorprendida— un poco mal.

—¡No un poco! —gritó enfurecido el farero, moviendo el brazo a un lado y a otro, como si estuviera cortando el aire con el cuchillo que tenía en la mano—. Un poco mal, no. ¡Muy mal!

Blanca calló intimidada. Siguieron andando por la senda de tierra hacia la costa. Al rato, él volvió a decir con más sosiego:

—Eso ocurría en un tiempo en el que los ilustrados querían acabar con las viejas costumbres e imponer comportamientos razonables. ¿Era eso razonable? ¡No, no lo era! Y hubo un hombre que se llamaba Leandro Fernández de Moratín que escribió una obra de teatro denunciándolo: *El sí de las niñas* la tituló.

Ni Blanca ni Yago podían entender las razones de la ira que había arrebatado de repente al farero. ¿Qué sabían ellos de lo que había ocurrido en la aldea hacía algunos años? Fue nada más llegar él a aquellas tierras. Había sido destinado para ser el vigía de la costa, cuidar el faro y velar por la seguridad de los barcos que navegaban por aquellas peligrosas aguas. Conoció a Isabel, una muchacha joven que era para él la más hermosa de la aldea.

—Desde la primera vez que la vi, me enamoré de ella —les dijo, evocando el recuerdo de aquella mujer que le hizo perder la cordura.

—¿Y qué pasó? —se interesó Blanca.

—Que pronto supo todo el pueblo lo mucho que nos queríamos...

—¿Y eso qué importaba?

—No importaba nada, pero al poco tiempo su familia le prohibió que me viera. «Nunca», le dijeron.

—¿Por qué? —se extrañó Blanca.

—Porque querían casarla con un hombre rico de otro pueblo. Un hombre que tenía un rebaño y campos de maíz. Ese era el precio que él pagó por ella: unas cuantas vacas.

El farero hablaba en ese momento despacio, con un tono de voz apagado, tan distinto del genio que había mostrado antes. Se paró mirando a lo lejos, a un punto perdido al otro lado de la niebla que ocultaba el horizonte del mar. A Blanca le pareció más viejo; en ese momento era solo un hombre desvalido y solitario. Llevaba mucho tiempo soportando en silencio aquella pena, callando día a día, cada semana, durante meses y años. Tal vez aquella era la única oportunidad que había encontrado en mucho tiempo de contar a alguien su dolor. Se le veía hundido, y por primera vez Blanca notó que les hablaba sin desprecio. Era el corazón de un hombre destrozado.

—No tiene tierras, le dijeron a ella de mí. No tiene barca ni casa. No tiene nada.

—¿Y ella te dejó?

—Sí. No fuimos valientes. No nos enfrentamos a ellos —alargó el brazo con el cuchillo en la mano, como si quisiera retar a un pasado aún vivo—. Hicimos lo que nos dijeron. Habían llegado al vértice del acantilado. Abajo chocaban las olas con rabia contra las rocas y su estruendo ascendía ensordecedor hasta donde estaban ellos. El farero se adelantó hasta la línea misma del precipicio, pero ellos se quedaron tras él, sintiendo el vértigo de los cortados rocosos y el aire que soplaba allí con más fuerza. Blanca se preguntaba quién sería esa mujer que le había hecho tan desgraciado a aquel hombre... Pero no se atrevió a indagar más. El farero miraba a la lejanía con los ojos extraviados. Se asomó al filo de las rocas, con los pies al borde del acantilado. Desde allí levantó los brazos, agarrando los extremos de la soga que tenía alrededor del cuello, y gritó al viento unas palabras, que eran las mismas que había escrito Lope de Vega cuando perdió a la mujer que amaba:

—No quedó sin llorar pájaro en nido, / pez en el agua, ni en el monte fiera.

El ruido del oleaje era atronador y ni Blanca ni Yago pudieron entender lo que decía. Oían solo el ronco rumor del agua que chocaba con furia contra las rocas y la voz de aquel hombre que gritaba algo ininteligible al borde del precipicio. Los dos muchachos lo miraban atónitos y asustados, como si estuvieran viendo a un hombre al borde de la desesperación. Habría bastado un golpe de viento en su espalda para poner fin al extravío del farero, que seguía mirando bajo sus pies las piedras puntiagudas en las que estallaba la ira del mar. El farero cerró los ojos enrojecidos y dijo con desesperación:

—Desde entonces me levanto cada día y quiero ser feliz; pero ¿cómo?

V

Un encuentro a medianoche

Desde su cuarto Yago oía el trajinar de su madre que estaba lavando los utensilios de la comida. Estaba el cielo tan oscuro y el oleaje tan encrespado que ese día no habían salido al mar los barcos de los pescadores. Yago, mientras tanto, solo en su habitación, leía la libreta que había escrito el maestro:

> *Quiero ordenar el caos en el que vivo. Quiero ordenar mi vida; y escribir me ayuda un poco. Todos hemos de construir nuestro propio mundo. Buscamos alguna respuesta que nos ayude a contestar tantos interrogantes. Queremos ver qué hay al otro lado del espejo. Y al mirarlo, el paisaje que vemos reflejado es el mundo en el que vivimos y no otro. Y la figura que aparece frente a nosotros somos nosotros mismos.*
>
> *A veces estoy perdido. Leo y sé que otros muchos estuvieron perdidos como yo. He aprendido que es propio de la condición humana el extravío: no saber dónde estamos, qué hacemos aquí, por qué hacemos las cosas, en dónde vamos a acabar.*
>
> *Tengo miedo del farero. Cuando lo veo solo entre las rocas, temo que algún día quede atrapado entre tanta confabulación y tantas mentiras. He sido yo el que le he puesto en peligro. Y ahora temo por él.*

Yago dejó de leer y se quedó pensativo. Inmediatamente cerró la libreta, la guardó en el cajón y salió aprisa del cuarto. Por el pasillo oyó la voz de su madre que le preguntaba:

—¿A dónde vas?

—Vuelvo enseguida —contestó él sin detenerse.

—No te alejes demasiado —le advirtió—. Habrá tormenta.

Al leer aquellas palabras que había escrito el maestro, Yago se asustó. Tuvo un presentimiento y por primera vez pensó que el farero podía estar en peligro y por eso actuaba de una forma tan desconcertante.

—¿Por qué? —le preguntó Blanca, cuando se lo contó en la puerta de su casa.

—Porque no es normal que se comporte de esa manera.

—Claro. Lo que sucede es que oculta algo y teme que lo descubran.

—No, no es eso. Al farero le pasa algo.

—Le pasa que tiene miedo de que se llegue a saber lo que ha hecho —insistió Blanca—. Eso es lo que le pasa.

Ella seguía sospechando del farero. Nunca se había comportado con ellos con normalidad. Unas veces los miraba con desconfianza; otras les hablaba con ira; en un momento parecía estar interesado en averiguar con ellos lo que le había ocurrido al maestro; y al rato, se sentía molesto por su presencia.

—¿Qué le pasa a ese hombre? —volvió a preguntarse Yago.

Pero Blanca era más desconfiada:

—Yo creo que no importa lo que le pase, sino qué es lo que sabe y no nos quiere decir.

—Pero si puede estar en peligro, deberíamos avisarle.

—¿Cómo?

—Se lo decimos.

—Eso, vamos y le decimos: «estás en peligro… Lo hemos leído en una libreta que escribió el maestro y que hemos robado en la escuela». Y ya está: todo resuelto. ¿No te parece una tontería?

—Pero no podemos quedarnos sin hacer nada...

—Eso no —admitió Blanca—, porque sería peor. Lo que tenemos que hacer es vigilarle.

—¿Pero dónde? Si siempre está en el faro…

—Bueno… Pues tendremos que volver al faro, averiguar lo que sabe y ver lo que hay en el baúl. Ahí es donde están las pistas que descubrimos con la llave que el maestro dejó en la escuela.

—¿Se lo decimos a los demás? —le preguntó él.

A Yago le apetecía estar a solas con ella. Además, los dos se entendían bien. Con los otros siempre surgía algún roce. Siempre se producía alguna discusión.

—Sí, tenemos que decírselo. Porque pueden ayudarnos. Los dos solos no podemos estar en todas partes.

Cuando se lo comentaron a David, se mostró inmediatamente dispuesto a volver al faro y ver qué otros objetos podía haber en el baúl que no les hubiera enseñado el farero. Era curioso por naturaleza y también algo inconsciente. Su despiste no le hacía considerar los peligros que podían sobrevenir. Fátima, no. Fátima les dijo que aquel hombre le daba miedo.

—Y además va a caer un chaparrón pronto —añadió.

Todos levantaron la cabeza para mirar hacia las nubes negras que cubrían el cielo. Estaban tan abombadas que amenazaban con romperse y dejar caer el agua de repente, con la misma fuerza con la que sale al reventar una presa.

—No seas cobarde —le reprochó Blanca.

—¿Entonces qué hago? —le preguntó Fátima con gesto indeciso.

—Pues venirte ahora mismo con nosotros.

Blanca la agarró del brazo, tiró de ella y se puso a andar, llevándola hacia el sendero que conducía a los acantilados. Recorrieron el camino aprisa. El faro no estaba cerca del pueblo y el cielo negro era ya una amenaza inminente de que en cualquier momento podía desatarse la tormenta. Cuando llegaron, vieron la puerta del faro entreabierta. Se detuvieron ante ella, respirando sofocados. Blanca golpeó con el puño en la madera, llamando como había hecho otras veces. Esperaron quietos, pero no recibieron ninguna contestación. Volvió a llamar. Y después, otra vez. Y otra. Nada. El faro parecía deshabitado. Blanca empujó la puerta y entró sin preguntar a los demás. Chirriaron las bisagras oxidadas, que sonaron como un quejido en medio de aquel mar de soledad. Entraron todos, con pasos sigilosos, evitando hacer ruido.

La sala estaba vacía.

—¿Qué hacemos? —preguntó Yago.

—Esperar —dijo Blanca.

—Deberíamos mirar arriba —sugirió Yago—. Quizá le haya pasado algo.

—Fátima y David quedaos vigilando —dijo inmediatamente Blanca—; nosotros subiremos a ver.

Le hizo una señal a Yago y los dos se acercaron a las escaleras que subían pegadas a la pared hasta el piso de arriba. Desde allí les urgió a los otros, que estaban ya junto a la puerta:

—Avisadnos si viene.

Cuando los dos llegaron arriba, vieron que en la sala tampoco había nadie y estaba todo desordenado: la ropa de la cama, revuelta; el sillón, fuera de su sitio; y en medio, un jersey, unos pantalones arrugados y una bufanda tirada sobre la alfombra. ¿Dónde estaba el farero? ¿Es que también él había desaparecido?

El baúl estaba arrimado a la pared. Blanca se acercó rápida, se agachó para abrirlo y se quedó sorprendida cuando intentó levantar la tapa y no pudo hacerlo.

—Está trancado —le dijo a Yago.

En el suelo se amontonaban algunos libros. Encima de la mesa estaba doblado el plano, tal y como lo habían visto otras veces. No lo había escondido el farero. Como si supiera que ya no serviría de nada, porque ellos tenían una copia. Pero los demás objetos sí los había dejado ocultos en el baúl.

—¿Estás segura? —preguntó Yago, mientras se agachaba para cerciorarse.

Llevó la mano a la cerradura y en ese momento retumbó el faro con un estruendo ensordecedor, como si se hubieran derrumbado sus paredes de piedra. Un rayo había estallado cerca y sonó como si hubiera atravesado la torre desde la linterna hasta el suelo.

Blanca y Yago se levantaron sobresaltados y bajaron corriendo las escaleras. Al rato, un nuevo estallido les avisó de que se había iniciado la tormenta. Las primeras gotas sonaron como pedradas sobre los cristales del faro. Los cuatro se quedaron quietos, en silencio, sin saber qué hacer, junto a la puerta del faro. Tronaba con furia y el chasquido de los rayos atravesaba el firmamento con un fulgor instantáneo. Con cada trueno, parecía que el cielo iba a derrumbarse roto en pedazos sobre la tierra.

Sin que ninguno de los cuatro lo hubiera visto llegar, de repente irrumpió el farero en la sala, empujando con el hombro la puerta. Los miró confuso:

—¿Qué hacéis aquí? —preguntó extrañado.

—Nos ha sorprendido la tormenta —se atrevió a decir Blanca.

El farero se desentendió de ellos. Estaba empapado y las gotas de lluvia le recorrían el rostro. Sacudió el agua de la pelliza. Se quitó el gorro y lo golpeó contra la palma de la mano, salpicando a su alrededor. Pataleó el suelo para limpiar el barro de las botas. Se removió el pelo y se restregó varias veces la barba. Fue a las escaleras y subió al piso de arriba. Los cuatro se miraron desconcertados. ¿Qué hacían ahí solos en esa habitación heladora, mientras afuera descargaba su rabia la tormenta? Blanca fue la primera que se dirigió a las escaleras, y detrás de ella siguieron los demás. En la sala de arriba, el farero había cogido unos troncos que se amontonaban junto a la chimenea y estaba encendiendo el fuego. Cuando prendió la leña estuvo un rato inclinado de cuclillas sobre las llamas, frotándose las manos. Parecía abstraído. Luego se puso de pie, los observó con la mirada perdida y volvió a preguntarles, como si los viera entonces por primera vez:

—¿Qué hacéis aquí?

—Hace frío abajo —dijo Blanca.

Él se dejó caer sobre el sillón y se quedó mirando las llamas que se elevaban en la chimenea. Estaba tiritando. Fátima se agarró al brazo de Blanca con las dos manos, protegiéndose asustada. ¿El farero temblaba de frío o de rabia? Afuera seguía lloviendo con furia y en la sala se confundía el fragor de la tormenta con el choque airado de las olas.

Yago se estaba arrepintiendo de haber ido al faro aquella tarde maldita, mientras David se imaginaba cómo sortearían borrascas así los barcos sorprendidos en medio de la marea.

En ese momento el farero se levantó y se acercó a la ventana. El aguacero golpeaba los cristales con fuerza y las gotas de agua estallaban al chocar en el vidrio como perdigones. Apoyó la frente en el cristal frío y recitó con voz ronca:

Olas gigantes que os rompéis bramando
en las playas desiertas y remotas,
envuelto entre la sábana de espumas,
¡llevadme con vosotras!

Ráfagas de huracán que arrebatáis
del alto bosque las marchitas hojas,
arrastrado en el ciego torbellino,
¡llevadme con vosotras!

Nubes de tempestad que rompe el rayo
y en fuego encienden las sangrientas orlas,
arrebatado entre la niebla oscura,
¡llevadme con vosotras!

Llevadme por piedad a donde el vértigo
con la razón me arranque la memoria.
¡Por piedad! ¡Tengo miedo de quedarme
con mi dolor a solas!

El farero se giró hacia ellos y los miró otra vez con la misma sorpresa con que los habría observado si hubieran aparecido entonces en la sala. Se apartó de la ventana y volvió a dejarse caer en el sillón.

—¡Qué sabréis vosotros lo que es vivir a solas con el recuerdo de alguien...! —les dijo despectivo—. Eso lo escribió

Bécquer, que fue un niño huérfano. Como yo. Perdió a su padre cuando tenía cinco años; y poco después, a su madre. Y tampoco consiguió el amor de la mujer a la que amaba. El farero observaba ensimismado el fuego de la chimenea. Blanca miró el baúl cerrado junto a la pared. No había olvidado a qué habían ido allí: a vigilar al farero y a coger lo que había en el baúl. Pero ¿cómo iban a cogerlo si él lo había trancado?

—Bécquer era un romántico —dijo el farero, sin preocuparse de que ellos estuvieran allí—. Y los románticos estaban convencidos de que en la vida nunca se alcanza lo que se pretende.

Hablaba mirando las figuras que formaban las llamas de la chimenea, mientras resonaban los chasquidos de la leña quemándose.

—¡Qué sabréis vosotros del fracaso...! —volvió a decir—. Larra escribió los mejores artículos del siglo. Y al final, los firmó con un pistoletazo en la nuca ante el espejo vacío de su cuarto. Zorrilla inmortalizó a don Juan Tenorio: un amante promiscuo pero frustrado. El duque de Rivas dio a conocer la historia de un hombre desgraciado perseguido por el destino. Rosalía de Castro puso voz a la melancolía. Espronceda fue un rebelde y un cabeza loca; perdió a la única mujer que amaba, y estuvo al borde de la desesperación...

Retumbó un trueno, como si el cielo se hubiera roto sobre el mundo. Pero el farero no se inmutó.

—¿Queréis saber lo que le pasó a un joven romántico que era un soñador?

No esperó a que le contestasen, y les dijo:

—Vivía en Soria. Una noche atravesó solo el puente sobre el río Duero, que une la ciudad con una fortaleza construida por los Templarios, que estaba abandonada, cubierta de hiedras y en ruinas. Era medianoche y sobre el cielo brillaba la luna llena.

Los cuatro seguían de pie, parados, escuchándolo sin saber qué hacer.

—Con esa luz vio al fondo del sendero que cruzaba entre los árboles la orla blanca del traje de una mujer. Fue tras ella, pero la perdió entre la espesura del ramaje. Al rato volvió a aparecer otra vez la claridad blanca de su vestido entre la yedra. La siguió, pero no pudo alcanzarla. Cuando creía haberla perdido, contempló la estela que iba dejando una barca sobre el río. En esa barca distinguió desde lejos a la esbelta mujer que se alejaba. Desde entonces, el joven se obsesionó por encontrar a esa mujer, que él imaginaba alta, de ojos azules, cabellos negros al viento, soñadora y hermosa. Pero la buscó en vano. Hasta que una noche de luna llena volvió allí donde la vio por primera vez. Y aquella noche también volvió ella. ¿Os imagináis cómo era? Acércame ese libro —le dijo a Yago.

Y cuando él se lo alcanzó, buscó entre las páginas y comenzó a leer:

> Había visto flotar un instante y desaparecer el extremo del traje blanco, del traje blanco de la mujer de sus sueños, de la mujer que ya amaba como un loco.
>
> Aquella cosa blanca, ligera, flotante, había vuelto a brillar ante sus ojos; pero había brillado a sus pies un instante, no más que un instante.
>
> Era un rayo de luna, un rayo de luna que penetraba a intervalos por entre la verde bóveda de los árboles cuando el viento movía las ramas.

El farero se detuvo, miró fijamente a Yago y le dijo:

—Aquel hombre en su imaginación se había enamorado de un rayo de luna: de un imposible. Eso pasa cuando amamos algo inalcanzable...

Cerró el libro y lo lanzó sin mirar, detrás de sí, hacia la mesa. En ese momento comenzó a toser, congestionado, encorvándose sobre sí mismo con espasmos. Con la voz quebrada y la cara enrojecida, les dijo:

—Esa historia la escribió Bécquer en una leyenda que tituló *El rayo de luna*. Él también fue abandonado por una mujer. Cogió una pulmonía y pasó sus últimos días solo, tirado en el camastro de una pensión. Tenía treinta y cuatro años cuando murió. Los mismos que tengo yo ahora.

En el faro se hizo el silencio. Durante un instante había cesado la furia del vendaval. El farero se levantó, se acercó al baúl, fue a abrirlo y pareció percatarse entonces de que estaba trancado. Cogió unos libros del suelo y le dio uno a cada uno.

—Leedlos estos días de lluvia y buscad al maestro —les dijo—. Y ahora, iros.

El cielo todavía estaba gris y encapotado, pero ya no llovía. El aire húmedo les enfrió la cara nada más salir del faro. Comenzaron a andar aprisa hacia la aldea. Blanca caminaba descontenta. Yago se volvió un momento, vio al farero apoyado en la puerta, que los contemplaba alejarse, mientras tiritaba de frío y de fiebre. En aquel paraje solitario, aquel hombre le pareció más desvalido que nunca. Yago se preguntaba: ¿podía estar engañándolos el farero solo para protegerse?

ξ

El Punto Cero

Pasado un tiempo, la gente dejó de hablar en El Faro de la desaparición del maestro. Al principio, el nerviosismo y el miedo que todos sentían durante aquellos días de guerra les llevó a hablar del suceso con sigilo. Poco a poco lo fueron comentando en la calle, y durante un tiempo fue motivo de conversación. Se habló de accidente y de extravío. Se sospechó un crimen misterioso. Se susurraron motivos de envidia. Y se airearon amores que tal vez nunca habían existido. Pero pronto se agotaron todas las conjeturas y el asombro inicial dio paso a un inquietante desasosiego por la falta de una explicación verosímil a su ausencia.

Y superadas así las primeras semanas, un acuerdo tácito entre los habitantes de El Faro pareció llevar al maestro al reino del olvido. Sin que nadie lo hubiera propuesto, en el pueblo se evitaba hablar de él. Era incómodo citar lo inexplicable. La ausencia del maestro les traía la certeza de que la vida está amenazada por el azar o por el destino, por la venganza, la enfermedad o la locura. También por la guerra que se estaba librando al otro lado de los montes que aislaban sus vidas de los bombardeos. Como si quisieran olvidar la existencia de la desgracia que acecha siempre la vida de los hombres, los habitantes de la aldea dejaron de hablar de él. Poco a poco se fue convirtiendo en el innombrado. La fatalidad había hecho desaparecer a aquel joven reservado y distante. Su pérdida había sido una tragedia y todos pensaban que era mejor olvidarla. Un manto de silencio pareció cubrir cualquier indagación sobre su paradero. Eran momentos turbios y el recelo sellaba las bocas de las gentes. En el pueblo, después de casi tres años de Guerra Civil, se había instalado el miedo que estaba agazapado en el interior de cada uno y silenciaba las palabras. Porque el temor conduce al ocultamiento. La desaparición de Alonso podía suponer un peligro desconocido para todos, en aquel momento en que los cañonazos de la guerra estaban disparando sus últimos estruendos.

Nadie sospechaba, sin embargo, que en el pueblo cuatro adolescentes tenían muy presente el recuerdo del maestro.

*

Vivo oculto en este rincón escondido del planeta. Cada día parece igual al anterior, pero las cosas cambian vertiginosamente. Y no van bien. ¿Qué debo hacer en esta espera que no sé cuándo terminará?

Están sucediendo cosas importantes a nuestro alrededor y no nos damos cuenta. Amanece cada día y ni lo apreciamos, porque nos pilla dormidos.

He medido con una cuerda los pasos que hay hasta el Punto Cero. A veces andamos por la vida empujados por la inercia y caminamos a donde nos llevan los senderos trazados por el azar. Y así acabamos perdidos, preguntándonos al cabo del tiempo ¿qué hago yo aquí? o ¿cómo salgo de este pantano?

Antes de echar a andar hay que plantearse en qué dirección queremos ir. Si no imaginamos la meta a la que aspiramos, no iremos a ninguna parte. Acabaremos donde nos empujen los demás. Porque cada paso nos acerca a algún punto, pero nos aleja de otros.

Durante los meses de este ocultamiento he mirado el plano de mi vida y he aprendido que no hay que andar sin más: lo importante es saber adónde vamos. Los marinos lo conocen bien. Para navegar por la vida, lo primero es fijar el destino, el punto de llegada; después marcar el rumbo; y entonces, soltar las velas y controlar los vientos que nos lleven hasta allí.

Hoy he medido desde el molino los pasos que llevan hasta el final; y he llegado al Punto Cero.

Yago había leído varias veces todo lo que estaba escrito en la libreta. De vez en cuando volvía a cogerla, y al releerla de nuevo, encontraba algunas palabras en las que no se había fijado antes, y que de pronto cobraban sentido. Eso le pasó al leer estas frases: que empezó a entender algunas cosas. Guardó la libreta en el cajón y fue a la mesa, en la que había dejado el último libro que le entregó el farero. Buscó aprisa entre las páginas, nervioso, hasta que lo encontró. ¡Allí estaba! Era sin duda una clave que indicaba dónde quería llevarles el maestro. Se puso el abrigo de paño, guardó el libro en uno de los bolsillos y salió de casa.

Cuando se juntaron los cuatro, Yago le explicó a Blanca que tenían que subir al desván para buscar una cuerda.

—Eso es lo primero que necesitamos —les dijo—: una cuerda.

El desván era un lugar oscuro, que solo estaba iluminado por una pequeña buhardilla, cuyo techo descendía siguiendo la línea del tejado. Allí había amontonados objetos viejos que estaban ya en desuso. Yago vio en un rincón dos canastos, un escriño de paja, una artesa que servía para amasar el pan; y al otro lado, un par de horcas colgadas con un clavo en una viga. Había también cribas y un farol, un balde de estaño y un arcón grande de madera. Pegado a la pared estaba un banco, con el respaldo tallado formando figuras rectangulares. Yago fue a sentarse en él, sopló sobre la madera y una nube de polvo salió dispersa y quedó flotando en el aire. Se inclinó, restregó con el brazo del jersey la superficie para limpiarla, se sentó y dejó libre el resto del banco, adonde se acercaron los demás. Sacó el libro que había llevado desde casa, lo abrió sobre las piernas y dijo:

—Esto nos ayudará a encontrar al maestro.

Era un cuento de Clarín, que se titulaba «¡Adiós, Cordera!».

—Es la historia de dos niños que viven como nosotros en un pueblo tranquilo —les explicó—. Se dedican a cuidar una vaca, que es lo único que poseen. Pues mirad —les dijo, enseñándoles el libro.

Los demás se acercaron y vieron la página que les señalaba, en la que el maestro había subrayado con tinta roja las dos veces que aparecía la palabra «mil». En el margen, con la misma tinta, estaba escrito este mensaje, recuadrado: 2 mil : 5.

—¿Y eso qué quiere decir? —preguntó David.

—A eso voy —le respondió—. En la libreta el maestro dice que midió los pasos que había desde el molino hasta el final...

—¿El final de qué? —interrumpió de nuevo David.

Yago lo miró con un gesto de disgusto.

—Déjame terminar... —le recriminó—. Esos números también están en el plano.

Blanca tenía la copia que había hecho del plano, la desdobló y la extendió encima del asiento:

—¡Son los mismos números! —se extrañó David—. ¿Lo veis?

Los otros se inclinaron sobre el plano; y efectivamente, junto al molino estaba escrita una anotación idéntica a la del cuento de Clarín.

—Parece una escala —dijo David—. ¡La escala del plano!

—¡Qué burro eres! —le corrigió Blanca—. La escala nunca se mide así.

—¿Pues cómo se mide? —se le encaró David.

—El primer número tiene que ser un 1. Eso para empezar...

—Tú eres muy lista... —volvió a encararse David, a quien le molestaba que Blanca siempre aparentara saberlo todo.

—Y si no es una escala, ¿qué significa? —preguntó Fátima.

Tratando de encontrar alguna pista que les diera una idea, Blanca se volvió hacia Yago para preguntarle:

—¿Y de qué va el cuento ese que has leído? Por si tiene algo que ver...

—Es la historia de dos hermanos, un chico y una chica de nuestra edad, que viven en un pueblo aislado como este.

Solo tienen una vaca, a la que llevan al prado cada día. Y son felices. Hasta que un día su padre la vende para el matadero y ellos ven con tristeza cómo se la llevan en los vagones del tren para matarla. Pasa el tiempo, y unos años después, ese mismo tren se lleva al chico a la guerra. Su hermana lo despide desde el mismo lugar desde donde habían visto llevarse a la vaca, como si a él también se lo llevaran a morir al matadero.

Yago cogió el libro, abrió una página y leyó:

> Silbó a lo lejos la máquina, apareció el tren en la trinchera, pudo ver un instante en un coche de tercera multitud de cabezas de pobres quintos que gritaban, gesticulaban, saludando a los árboles, al suelo, a los campos, a toda la patria familiar, a la pequeña, que dejaban para ir a morir en las luchas fratricidas de la patria grande, al servicio de un rey y de unas ideas que no conocían.

—O sea que en ese cuento hay una guerra al otro lado de las montañas donde viven —reflexionó Blanca—. Como ahora aquí. Y hay un joven al que se lo llevan y desaparece del pueblo...

—El maestro puede haber desaparecido por la guerra —apuntó Yago—. A lo mejor se lo han llevado...

—¿Y si lo han matado? —añadió Fátima con ojos de susto.

David se inclinó de repente sobre el plano y señaló con el dedo uno de los símbolos pintados en él:

—¡Ese dibujo lo he visto yo en otro libro! —exclamó—. Estaba en un libro en el que había una adivinanza. A lo mejor tiene algo que ver con lo que buscamos.

Cerró los ojos, tratando de recordar, pero no pudo repetir más que unas pocas palabras de un poema de Quevedo que había leído el día que se quedó en la cama:

Un eco es nuestra voz, de que, ofendidos,
y con razón, se muestran dos sentidos.
(...) Orinal somos sin ori
y Vargas, quitado el Var.

—Eso son las nalgas, tontolaba —le dijo Yago—. ¡El culo! David se rió con una carcajada, mientras le daba una palmada en la pierna a Yago.

—Pero eso ¿qué tiene que ver con lo que estamos diciendo? —le reprendió Blanca a David—. Que pareces tonto...

—Confundes el culo con las témporas —le dijo Yago, riéndose, mientras le daba un palmetazo en la cabeza.

—Sois bobos los dos —los increpó ella.

Y Yago, al ver a Blanca enfadada, hizo esfuerzos por dejar de reírse y volvió a decir:

—A ver... Hemos venido a buscar una cuerda. Mi plan es medir con una cuerda desde el molino. Porque en la libreta el maestro dice que midió con una cuerda los pasos que hay hasta el Punto Cero.

—Una cuerda... —se quedó Blanca pensativa—. ¡Eso es lo que llevaba el otro día el farero colgado del cuello!

—¿Qué día? —preguntó David.

Yago se puso inesperadamente rojo, imaginando tener que explicarles a todos que estaban ellos dos juntos allí: él y Blanca, solos. Se acordó de que ella estaba cogiéndole la mano y los sorprendió el farero así, agarrados. Oyó entonces a Blanca que le respondía con indiferencia:

—El otro día lo encontramos, y él llevaba una cuerda alrededor del cuello.

David sintió en ese momento que se había perdido algo, que por alguna razón lo habían dejado al margen y habían prescindido de él. No le gustó. Sabía que entre Blanca y Yago había complicidad; y que a él lo estaban dejando fuera.

—¿Y no había una cuerda también en el baúl? —les recordó Yago.

—Sí —le confirmó Blanca—. Estaba entre los libros.

—Pues esa sería la cuerda que llevaba el farero el otro día.

—¿Dónde lo visteis? —volvió a preguntar David.

—¿Y eso qué más da? —le cortó Blanca, subiendo la voz.

Desde hacía algún tiempo ella trataba a David como si fuera realmente un niño.

—Esa cuerda señala una medida —añadió Yago—. Poniendo un extremo en el molino, el otro indica un lugar en el que encontraremos lo que estamos buscando.

—Pero ¿qué estamos buscando? —se atrevió a intervenir Fátima.

—Algo que escondió el maestro —le aclaró Blanca—. Algo que nos diga qué ha pasado con él. Es que no te enteras...

—Por eso tenemos que coger la cuerda que tiene el farero —insistió Yago—. Y si no nos la deja, se la cambiamos por otra parecida.

—Pero aquí no hay ninguna soga como la del baúl —objetó David.

—Pues habrá que quitársela —concluyó Blanca decidida.

—¿Cómo? —preguntó David, más que nada por incordiarla.

—Cómo va a ser... —lo miró despectiva—. Pues cogiéndola.

Entonces intervino Yago con un tono conciliador:

—Por eso tenemos que estar todos allí. Unos le tienen que distraer mientras otros cogemos la cuerda.

—Pero eso es peligroso —apuntó Fátima.

Blanca la miró con dureza:

—Pues si no quieres ir, no vayas... Pero no pongas pegas.

—Y tú no estés siempre dando órdenes —quiso vengarse David—. Porque igual yo tampoco voy...

9

El medallón de los sueños

Fue Yago quien puso paz en el grupo y estableció el plan. Había que entrar en el faro cuando el farero no estuviera y abrir el arcón. Pero si se lo encontraban en el interior del faro, la idea era llevarle algo que tuviera que guardar en la cocina, situada en la planta baja. Mientras él estaba allí y unos lo entretenían, otros cogerían la cuerda del arcón en el piso de arriba.

Pensaron qué podían llevarle y se fue cada uno a su casa a buscarlo. Al poco tiempo volvieron a encontrarse en la salida del pueblo. Mientras subían por la senda, sorteando los charcos de las últimas lluvias, Yago volvió a contarles lo que pensaba sobre el farero:

—Yo creo que calla algo para protegerse.

—¿Y por qué piensas eso? —preguntó Blanca, que seguía sospechando de él.

—No sé... Pero puede ser él el que esté en peligro. Y por eso esconde algo.

Cuando estuvieron delante de la puerta del faro, golpearon varias veces la aldaba en la madera, pero nadie salió a abrirles. Era una buena señal para llevar a cabo sus planes.

Durante un rato estuvieron quietos, callados, mirándose unos a otros, escuchando si se oía algún ruido en el interior. Pero hasta allí solo llegaba el chapoteo de las olas y el bufido persistente del viento. Esperaron hasta que Blanca empujó la puerta y entró.

Se dirigieron a las escaleras y empezaron a subirlas, mientras Blanca, que iba la primera, avisaba de su presencia preguntando en voz alta:

—¿Hay alguien? ¿Estás bien?

Nadie contestó a sus llamadas, como si nadie habitara entre aquellas paredes frías de piedra.

Llegaron al piso superior y entonces lo vieron. Tumbado en la cama, con el embozo hasta la boca, el farero estaba pálido. Tenía los ojos cerrados y no se movía.

Se acercaron sigilosos, atenazados por una mezcla de prudencia y de temor. Fátima se agarraba al abrigo de Blanca y caminaba detrás de ella, asomando la cabeza para verle. Hacía frío en aquella habitación, en la que la chimenea se había apagado hacía tiempo. Estaba todo como lo habían dejado un par de días antes. Aquel hombre inmóvil parecía un cadáver.

¿Qué era realmente lo que tenían ante sí? Un cuerpo inmóvil, pálido y ojeroso, tendido en la cama fría de un faro solitario.

Se acercaron con sigilo. Y cuando Blanca se inclinó hacia él y estiró el cuello para ver si respiraba, el farero abrió los ojos y miró extrañado a los cuatro, que se mantenían temerosos, alejados de la cama.

—Hemos traído alguna cosa —dijo Blanca enseñándole unas hojas de eucalipto.

—Dejadlo por ahí —fueron las únicas palabras que pronunció, gangosas y cansadas.

Había estado dos días sin moverse, atrapado por la fiebre y el agotamiento.

—Hace frío; habría que encender la chimenea —sugirió Yago.

Esperó un instante, pero como vio que el farero cerraba los ojos sin responder, se acercó al montón de troncos, colocó algunos apartando la ceniza, puso debajo unas astillas y cañas de paja que había en un cesto, y encendió la chimenea.

El farero tosió con un sonido ronco, que parecía salir desde el fondo cavernario de los pulmones.

—Cuando yo estoy así —comentó Blanca—, mi madre me hace respirar vaho de eucalipto.

El farero la miró con los ojos tristes y fatigados. Blanca apartó la vista, giró la cabeza y observó que el baúl estaba en el mismo sitio, con la tapa bajada. No había ninguna cuerda fuera. Solo un montón de libros desordenados en el suelo. Si el farero estaba tumbado, ¿cómo se las iban a apañar para coger lo que escondía? No lo pensó más. Dio media vuelta y bajó las escaleras. Tras ella bajó Fátima también. Buscó una cazuela, la llenó hundiéndola en el bidón de agua que estaba junto a la puerta, encendió los carbones de la cocina de hierro y puso encima el cuenco para que hirviese.

Mientras, David le decía al farero:

—He traído leche. Hay que tomarla muy caliente, con una cucharada de miel.

—Estoy bien —le respondió, y volvió a cerrar los ojos.

El fuego que había encendido Yago caldeó un poco el aire de la sala. Blanca subió con la cazuela de agua hervida y un paño. Lo puso sobre una silla y la acercó a la cabecera de la cama. Sacó las hojas de eucalipto y menta y las echó en la cazuela. Un olor dulzón y mentolado comenzó a expandirse por la habitación.

—Ahora es el momento —dijo Blanca, dirigiéndose al farero.

Él abrió los ojos con cansancio y vio otra vez a los cuatro cómo le miraban. Percibió en sus rostros una mezcla de compasión y de respeto. Por primera vez desde hacía muchos años, alguien le miraba así. Se incorporó un poco y se acercó con desgana al vaho que desprendía la cazuela. Se tapó la cabeza con el paño que le habían dejado en la silla y estuvo un rato en esa postura, respirando profundamente.

Blanca cogió la lechera y volvió a bajar a la cocina. Llenó un tazón, lo calentó, agitó dos cucharadas de miel para que se disolvieran y subió con paso precavido las escaleras para que no se derramara la leche. Se lo ofreció al farero y este se incorporó de nuevo y lo fue bebiendo a sorbos.

—¿Qué habéis hecho estos días? —les preguntó—. ¿Qué habéis encontrado?

—Hemos leído —dijo Yago—. Yo he leído un libro de cuentos.

El farero apoyó la espalda recostándose en el cabezal. Respiraba de forma pesada. El frío y la humedad le habían herido los bronquios.

—En uno de los cuentos se habla de un joven al que le meten en un tren y le mandan a la guerra.

—La guerra... —dijo el farero—. Los pobres como carne de cañón para defender las ambiciones de los poderosos. Así se han matado durante años en esta tierra gentes que vivían en la misma calle.

—Lo escribió un escritor que se llamaba Clarín —añadió Yago.

—El Realismo y Naturalismo... —pronunció el farero con ánimo cansado—. Los grandes novelistas europeos...

Entornó los ojos y comenzó a pronunciar unos nombres que ellos oían entonces por vez primera. Parecía como si el farero estuviera recitando un conjuro, tumbado en la cama, con la cabeza apoyada sobre la almohada y con los ojos cerrados:

—Balzac, Stendhal, Flaubert, Victor Hugo, Tolstoi, Dostoievski, Dickens...

Se miraron sorprendidos. Nunca habían oído esos nombres. ¿Qué estaba diciendo el farero? ¿Deliraba? ¿Qué significaba esa retahíla de palabras?

—Son los mejores novelistas de Europa —añadió—. Los cronistas de unos tiempos convulsos. Y también, quienes mejor han analizado las pasiones. En sus novelas bucearon en las profundidades de los sentimientos humanos. ¿Y qué encontraron allí? Deseos ocultos y miserias.

El farero abrió los ojos e hizo un gesto a David para que le alcanzara el jersey que estaba tirado sobre la mesa. Se lo puso y subió el embozo, para taparse un poco más.

—Aquellos escritores decían: ¿qué es el hombre, sino un cuerpo condicionado por la genética, movido por los instintos, abocado a la enfermedad?

El farero tragaba saliva y respiraba con dificultad. El resfriado le había producido un principio de pulmonía y hablaba sofocado.

—Decían que el ser humano no es más que un producto de su ambiente. Por eso escribieron novelas psicológicas y novelas sociales. La novela era para ellos como un espejo puesto frente al mundo. Ya veis —les dijo, antes de cerrar otra vez los párpados—; la literatura también es testimonio: nos dice cómo eran las gentes de una época.

En la sala se oía el crepitar de la leña en la chimenea y el rumor amortiguado de las olas del mar. El farero hablaba en voz baja, pero Blanca no le estaba escuchando. Ella estaba inquieta y distraída, pensando en la cuerda del baúl.

—Eso hicieron en España Pereda, Pardo Bazán, Blasco Ibáñez, Clarín, Galdós... Galdós escribió la historia de todo el siglo xix en unas novelas que llamó *Episodios Nacionales*. La conclusión es desoladora: en ese tiempo no hubo descanso entre guerras y revoluciones. Solo hombres de un mismo barrio matándose a cuchilladas; mujeres que afilaban las bayonetas de sus maridos para que pincharan en ellas a jóvenes de su misma ciudad, como si fueran salchichas; soldados que se embarcaban en sucios vagones de tren, convocados por generales fanáticos para que fueran a matar a otros soldados que vivían en su mismo patio de vecinos...

Se frotó las manos con un gesto de frío y estiró el embozo para taparse mejor el pecho con las mantas. Yago se acercó entonces a la chimenea para poner más troncos en el fuego.

—En ese siglo se agrandó el abismo entre las dos España, que nos ha llevado a lo de ahora. ¡Siempre la maldita guerra! —exclamó el farero.

—Yo he leído *Trafalgar* —comentó Fátima con timidez.

Blanca volvió la cabeza hacia ella.

—¿Y qué has encontrado? —le preguntó.

—Bueno... Es la historia de un chico que luchó en la batalla de Trafalgar.

—¿Y qué...?

—Pues que tenía quince años... Y le llamaban don Alonso... Y era huérfano...

El farero metió la mano por el cuello del jersey que se había puesto y sacó una pieza metálica que colgaba de un cordón:

—Huérfano... —suspiró—. Este colgante me lo regaló mi madre cuando cumplí cinco años, unos meses antes de que muriera.

Se lo sacó por la cabeza y se lo dejó a Yago:

—Hazlo girar —le dijo.

Era un medallón sujeto dentro de un aro por un eje. Cuando giraba, dando vueltas rápidamente, se veían grabados los continentes y los océanos. La tierra giraba en ese medallón desplazando mares y cordilleras. Pero lo que más admiró a Yago, que golpeaba fascinado en un extremo para que siguiera

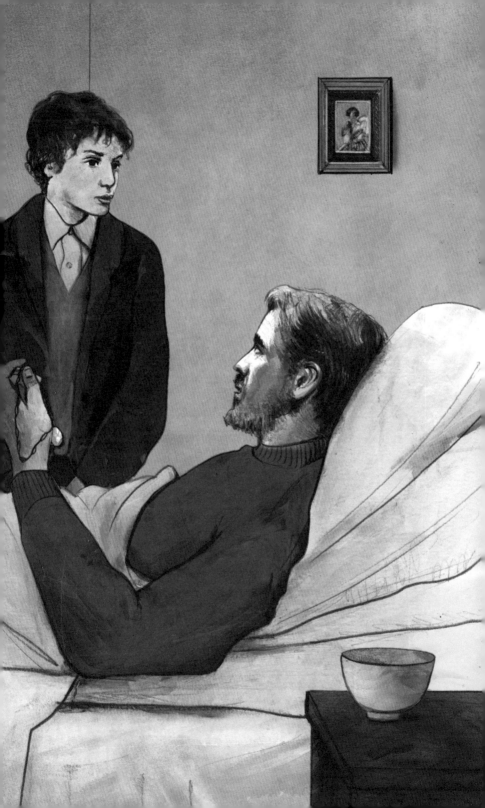

dando vueltas, fue que en el centro, sobre la línea del ecuador, navegaba ondulándose un pequeño velero que recorría el mundo una y otra vez.

—¡Qué curioso! —exclamó con entusiasmo.

Y el colgante fue pasando de unas manos a otras. Cuando lo miraban plano y sin moverlo, solo se veían unas líneas talladas en la superficie, que no significaban nada. Había que girarlo continuamente para que esos símbolos cobraran sentido.

—A veces no sabemos interpretar los indicios que la vida nos pone delante —meditó el farero—; pero esas señales tienen un significado que tenemos que averiguar. Como los signos tallados en ese medallón. Siempre lo llevo encima —les confesó—. Es mi mundo: la inocencia de mi infancia; el recuerdo de la madre que perdí de niño; los sueños que ojalá algún día se hagan realidad.

Blanca ya no tuvo más paciencia. Era evidente que el farero iba a estar controlándolos todo el tiempo que estuvieran allí. Si seguían hablando acabarían olvidando a qué habían ido hasta el faro. Y al final él los echaría de allí sin nada. En ese momento estaba convencida de que no iba a ser fácil llevarse algo del baúl, estando el farero todo el tiempo en la habitación. Así que se olvidó del plan que habían trazado y le dijo al farero de repente:

—En el cuento que ha leído Yago están recuadrados unos números que estaban también en el plano del baúl.

Yago volvió la cabeza hacia ella, sorprendido de que hiciera esa revelación, que no era lo que habían planeado.

—Lo sé —contestó tranquilamente el farero, para sorpresa de todos—. Esos números representan una medida. 2 mil : 5.

—¡Una escala! —propuso de nuevo David, que quería tomarse la revancha frente a Blanca.

—No, no son una escala —le corrigió el farero—. Son una división: dos mil dividido entre cinco. El resultado es cuatrocientos.

—¿Cuatrocientos qué? —preguntó Blanca.

—¡Pasos! —se adelantó Yago—. ¡Claro, ahora lo entiendo! Eso es lo que escribió el maestro en la libreta. Dice que midió los pasos desde el molino hasta el Punto Cero.

—¿Y ese Punto Cero qué es? —le interrogó Blanca al farero.

—Alcanzadme ese libro —les pidió, señalando a un lado del montón de libros.

David se tiró rápido al suelo para cogerlo antes de que otro se adelantara. Cuando se lo entregó, buscó el farero una de las páginas y comenzó a leer:

Alma mía, perdura en tu idea divina;
todo está bajo el signo de un destino supremo;
sigue en tu rumbo, sigue hasta el ocaso extremo
por el camino que hacia la Esfinge te encamina.

Corta la flor al paso, deja la dura espina;
en el río de oro lleva a compás el remo;
saluda al rudo arado del rudo Triptolemo,
y sigue como un dios que sus sueños destina...

Y sigue como un dios que la dicha estimula,
y mientras la retórica del pájaro te adula
y los astros del cielo te acompañan, y los

ramos de la Esperanza surgen primaverales,
atraviesa impertérrita por el bosque de males
sin temer las serpientes; y sigue como un dios...

—¿Veis? —les dijo enseñándoles las palabras que había subrayadas en el poema—. Con estas palabras podemos formar una frase: «Sigue por el camino al paso; y sigue y sigue y sigue...». Desde el molino hay que andar hasta llegar a la Esfinge para resolver el misterio que encierra.

—¿Qué misterio? —preguntó Blanca—. ¿Y qué es la Esfinge?

—La Esfinge es un símbolo. Los griegos la representaban con cabeza y pechos de mujer, cuerpo de león y alas de ave. Ese ser mitológico protegía la puerta de la ciudad de Tebas y no dejaba pasar a nadie si no le resolvía un acertijo. Subida a una roca le preguntaba al caminante: «¿cuál es la criatura que tiene cuatro patas por la mañana, dos por la tarde y tres al anochecer?». Nadie supo responderle y a todos les franqueaba el paso. Hasta que llegó Edipo, que fue el único capaz de resolver el enigma de la Esfinge.

—¿Eso lo escribió el maestro? —preguntó David, sorprendido.

—No. Eso lo escribió Rubén Darío, que era de Nicaragua. Con él echó a andar la poesía del siglo XX. Y esa poesía nació al otro lado del Atlántico...

La voz del farero sonaba áspera, como siempre, pero se le notaba el esfuerzo que hacía por amansar la brusquedad de sus gestos. Al fin y al cabo, ellos le habían llevado algún remedio y le hacían compañía. Miró hacia la ventana. Al otro lado estaba el mar. Pensó que había llegado para él el momento de buscar refugio. Era tiempo de huir. El mar trazaba una frontera de agua. Al traspasarla podía dejar atrás todo el lastre del pasado. Al otro lado le esperaba el porvenir. En aquellas costas todavía era posible comenzar a vivir de nuevo. Sin añoranzas. Y sin sospechas.

—Así germinaron en América las palabras sembradas hacía cuatrocientos años —siguió contando mientras le miraba a David como si solo se lo dijera a él, que era quien había preguntado—. Aquella lengua que nació como un regato en las montañas burgalesas; que escuchamos sus primeros balbuceos de manantial en los monasterios de San Millán y de Silos; que surcó barrancos, se hizo arroyo en la Edad Media y río sereno en el Renacimiento, llegó a América para convertirse en catarata impetuosa como el Iguazú, río caudaloso como el Paraná. Se hizo mar que baña todas las costas.

Blanca le fulminó a David con la mirada, porque con su pregunta lo que realmente estaba consiguiendo era que el farero volviera a hablarles de algo que en ese momento no les interesaba nada.

—El castellano es a los dos lados del océano la lengua para leer el mundo. Es el pozo de nuestra memoria. Con la lengua nos hacemos humanos, porque el hombre es un ser comunicativo y ese es el medio que nos permite comunicarnos el amor, el deseo, el dolor, los sueños, la desesperanza o el júbilo. La lengua es el puente que nos une. Y Rubén Darío fue a principios de siglo ese puente entre los hombres que escribían a los dos lados del océano.

Blanca le había obligado al farero a que les revelase lo que él sabía sobre los números escritos en el plano. Eso era lo importante y a eso habían ido allí. Mientras el farero hablaba, ella estaba abstraída pensando en el sentido que podía tener aquella anotación del plano: 400 pasos, sí, pero ¿hacia dónde? Entonces no aguantó más:

—Pero el maestro dejó escrito que midió los pasos con una cuerda… Y esa cuerda estaba en el baúl.

Se quedó observando la reacción del farero, para ver si revelaba de alguna manera lo que sabía.

—Pues ahí estará —dijo con tranquilidad.

—Pero está cerrado —saltó inmediatamente David.

Yago lo miró sobresaltado. ¿Cómo era tan torpe de revelarle lo que sabían? Blanca volvió a fulminarle a David con la mirada; y de buena gana le habría dado un capón si eso no los delatara aún más.

—Ahí está la llave —les indicó con serenidad el farero, señalando el cajón de la alacena.

Blanca se levantó como un muelle y se fue a cogerla. Abrió el cajón y dentro encontró dos llaves. Una de ellas tenía el letrero de cartón colgando, atado con una cuerda, en el que se leía: EL FARO. Cuando el farero vio desde la cama que Blanca había cogido esa llave, le dijo inmediatamente, como si hubiera encontrado algo que no les quería descubrir:

—No, esa no. La otra.

A Blanca le pasó por la cabeza como una ráfaga la pregunta de dónde era esa llave, pero se distrajo al momento, con la ansiedad de abrir el baúl y ver otra vez lo que había dentro. Se puso frente a él, abrió la cerradura, levantó la tapa y allí estaba la soga de cáñamo. La cogió y se la dio a Yago. Después cogió el plano y un reloj de bolsillo que había entre los libros. Revolvió en el baúl y encontró una brújula. Mientras la movía entre las manos, dijo de repente para sorpresa de todos:

—¿Nos podemos llevar esto?

—¿Para qué? —la interpeló el farero, sorprendido y con gesto adusto.

—Así podríamos seguir buscando nosotros, mientras estés enfermo en la cama.

Todos se quedaron asombrados del atrevimiento de Blanca. Y todos le vieron dudar al farero. Se quedó un rato en silencio, como si estuviera buscando razones para decirles que no.

—¿Para qué os va a servir? —comenzó a hablar, preparando una respuesta negativa.

—Solo por unos días —se adelantó Blanca—. En cuanto estés bien, lo dejamos todo otra vez aquí.

El farero pensó que era mejor no mostrarse desconfiado y no revelar ningún temor ante lo que ellos pudieran descubrir. Calló entonces y ese silencio fue interpretado por Blanca como un consentimiento. Se guardó la brújula en el bolso del abrigo, se volvió hacia el baúl de nuevo y cogió el plano. Lo desdobló y lo puso extendido sobre la cama.

—Hasta ahora sabemos varias cosas —dijo, señalando los dibujos del plano—. Hemos llegado hasta aquí: hasta el molino. Y lo que tenemos que hacer desde aquí es andar. Incluso sabemos cuánto: cuatrocientos pasos.

—Solo nos falta una cosa —le interrumpió David, empeñado en molestarla y en demostrar que él sabía tanto como ella—. Nos falta saber hacia dónde.

π

Un trabajo peligroso

Unos días después, sucedió algo en el pueblo que los dejó a todos sobrecogidos. Yago estaba en su cuarto, sentado alrededor de una mesa camilla, con el brasero encendido a sus pies, leyendo una novela de Pío Baroja: *Zalacaín el aventurero*. Hacía frío aquella mañana de invierno. Y viento. Un viento norte racheado que bufaba al colarse entre los postigos mal ajustados de la ventana. Allí sentado, con las piernas tapadas por el mantel de lana que cubría la mesa hasta el suelo, Yago notaba en los pies el calor de las brasas encendidas y se sentía bien. Leía la historia de Zalacaín. Un hombre intrépido. Un marino de vida arriesgada, que hizo fortuna en el contrabando. Un soldado de la guerra carlista. Al abrir aquel libro Yago se había embarcado con él para enfrentarse a los desafíos de una vida aventurera. Porque la literatura permite vivir otras vidas y conocer otros mundos diferentes del nuestro.

Cerró el libro y decidió salir en busca de Blanca. Se levantó, cogió el abrigo y salió de la habitación, diciendo en voz alta desde la escalera que volvería pronto. Cuando hacía eso, su madre, desde cualquiera de las habitaciones en la que estuviera, le recordaba algún trabajo que tenía pendiente de hacer antes de irse. Pero ese día no recibió respuesta. Repitió la despedida y se quedó escuchando extrañado. Era raro: su madre no estaba en casa o no le había oído.

Yago llegó a la casa de Blanca, se detuvo junto a la puerta, gritó su nombre, pero no recibió respuesta. ¿Qué pasaba?, se extrañó. Giró la cabeza, miró a todos lados y no vio ni una sombra. Se fue entonces hacia la casa de David. Lo llamó varias veces desde la calle, pero tampoco le respondieron. El viento soplaba a rachas. Las contraventanas de madera estaban trancadas y en ninguna casa se asomó ninguna mujer. Yago se quedó parado en medio de la calle. Estaba confuso. ¿Cómo podía ser que de pronto no hubiera nadie en la casa de Blanca ni de David? ¿Qué había pasado?

Se fijó entonces en que las puertas de las demás casas de la calle estaban también cerradas. Yago se alarmó entonces. Algo había ocurrido que había provocado la desbandada de todos. Pero ¿por qué él no sabía nada?

Vio a lo lejos cómo dejaba la aldea uno de los pescadores, que se marchaba aprisa por el camino hacia el embarcadero. Yago echó a correr tras él y no paró hasta alcanzarlo. Llegó a su altura sofocado y, casi sin poder hablar, le preguntó con cara de susto:

—¿Qué pasa?

—El Blancamar —le respondió él sin disminuir la marcha—, que no se sabe dónde está.

—¿Desde cuándo?

—Desde esta mañana. Hace un par de horas avisó por radio que había tenido un accidente y que el agua estaba entrando en la cubierta. Ha sido todo muy confuso, porque la radio ha dejado de emitir y desde entonces no se sabe nada.

—¿Y quién iba en el barco?

—Los de siempre.

—¿El padre de Blanca también?

—Supongo.

Antes de descender las últimas escaleras de rocas que conducían al embarcadero, Yago divisó desde un recodo del camino el pequeño litoral de arena en el que los pescadores amarraban sus barcas. Allí estaba la gente del pueblo, que se había ido concentrando conforme la noticia se fue extendiendo por la aldea. Y él, mientras tanto había estado en la inopia, encerrado en su cuarto. Miró hacia la costa y vio un grupo de mujeres que se movían inquietas, entre las que estaba también su madre. El aire agitaba sus vestidos negros y les removía los cabellos. ¿Cómo era posible que él no se hubiera enterado, abstraído en la lectura de la novela?

—Vamos a salir a buscarlos —le comentó el pescador.

Yago vio a David que estaba junto a dos barcas. Varios hombres se disponían a partir en una de ellas y preparaban cuerdas de remolque, flotadores y otros utillajes.

David nada más ver a Yago lo agarró del brazo.

—Mira —le dijo, llevándolo hacia un remanso donde la marea depositaba los objetos que arrastraban las olas.

Allí había amasijos de algas, trozos de redes rotas, tablones y algún bidón agujereado e inservible. Entre todos los desechos, David le señaló un armazón de madera, que era el trozo del casco de un pesquero.

—Ha aparecido aquí hace un rato, arrastrado por las olas.

—¿Del Blancamar? —preguntó Yago.

—Puede...

El día no era propicio para salir a pescar. Había un oleaje ingobernable y el viento soplaba racheado. No era extraño que un golpe de mar hubiera sacudido de tal manera el barco que lo hubiera lanzado contra alguna roca y lo hubiese hundido.

Se acercaron adonde estaba Blanca. Cuando ella nació, su padre había bautizado el barco con su nombre, y él mismo pintó las letras que llevaba escritas a ambos lados, encima de la quilla. Blanca tenía los ojos llorosos. Yago no supo qué decirle. Se quedó detrás, observando los preparativos de los pescadores para lanzarse al mar, a unas aguas embravecidas, para rescatar a los hombres que habían quedado a expensas del oleaje. Se acercó a Blanca y le dijo al oído:

—Ya van a buscarlos.

Ella se frotó los párpados con el dedo índice y asintió con la cabeza. Yago se quedó tímidamente junto a ella. De buena gana habría pasado el brazo por su espalda y habría agarrado su hombro. Pero no se atrevió. Y se quedó, tímido, retraído, lamentando el no hacerlo, simplemente de pie, a su lado.

Todos miraban inquietos el faenar apresurado de los hombres que preparaban la marcha. Nadie hablaba. Solo se oía el bufido del viento y el estallido de las olas contra las rocas. Cuando Blanca vio cómo se balanceaba inseguro el barco que zarpaba hacia aquel mar peligroso, se llevó las manos a la cara y comentó temerosa:

—Esta mañana no debían haber salido a pescar.

Pero la necesidad obliga a veces a ser temerarios. Y los pescadores del Blancamar esa mañana habían desafiado la prudencia, en busca del sustento.

Pasaron los minutos como si fueran años, pero nadie se movía del embarcadero. Ya no se veía el barco que había zarpado en ayuda del Blancamar, tragado por la bruma y por la fuerza del oleaje. El silencio se había apoderado de aquellas gentes que esperaban quietas porque les paralizaba la posibilidad de un desenlace fatal.

Cuando Blanca se volvió para buscar el terraplén que la protegiera un poco del viento, Yago la siguió. Desde allí miró ella hacia el interior de la costa y entonces lo vio. Estaba sobre las rocas, observando de pie el horizonte. Su figura se recortaba sobre el cielo, con la zamarra de piel cerrada y el jersey de lana hasta el cuello. Su barba gris destacaba sobre el color sucio de la pelliza de cuero. Miraba con un catalejo hacia el mar, subido en la cima de un acantilado. Aunque Blanca no lo sabía, él fue quien había recibido la llamada de auxilio del barco, el que había avisado a los otros pescadores y quien les recomendó salir en su búsqueda, indicándoles la posición donde se había producido el accidente.

Desde la roca le hacía señales a Blanca con los brazos. Después cerró los puños con los dedos pulgares levantados como señal de éxito. Cuando vio que Blanca repetía ese mismo gesto, él se lo confirmó asintiendo con la cabeza y manteniendo los brazos estirados, con el pulgar levantado hacia el cielo. Vio el farero que Blanca saltaba entonces de alegría y se abrazaba a los de alrededor. Estuvo así, mirándolos un rato desde las rocas. Observó cómo la noticia de que los pescadores volvían rescatados al puerto pasaba de un grupo a otro, aunque ellos aún no alcanzaban a ver los barcos que regresaban zarandeados por las olas, remolcando al Blancamar. Aquellas gentes que estaban paralizadas frente al mar parecía que habían cobrado vida de repente y empezaron a moverse aliviadas. El farero no se había recuperado aún de la pulmonía, pero había ido a darle la noticia a Blanca.

Cuando ella volvió a mirar hacia el acantilado, el farero ya no estaba allí.

ρ

Consecuentes como una brújula

Pasaban los días lentos en la aldea. El campo estaba dormido. No habían despuntado todavía los brotes nuevos en las ramas de los árboles. Los animales seguían aletargados y escondidos en sus cuevas. Solo las gaviotas recorrían los acantilados chillando de forma estridente.

Por las mañanas un manto de niebla tapaba el mar, y aquella barrera de nubes parecía una pared que indicaba que allí se acababa el mundo. Con el paso de las horas, poco a poco el sol iba deshaciendo la niebla, hasta que al mediodía lucía una luz tibia tamizada por la bruma.

Los cuatro habían quedado en encontrarse en las rocas, frente al mar. Blanca había llevado el plano y la brújula; Yago, la soga que habían cogido del baúl. David llegó con un libro en las manos, que se titulaba *Las inquietudes de Shanti Andía*.

—¡Aquí está lo que buscábamos! —exclamó, mostrándoles el libro.

Todos le miraron sorprendidos, y se quedaron callados, esperando lo que iba a revelarles. David se sintió ufano, al darse cuenta de que en ese momento él era el centro de atención.

—Shanti Andía era un marino —les dijo, queriendo hacerse el protagonista de aquel encuentro—. Vivía en un pequeño pueblo de pescadores, como El Faro. Allí se hablaba de un misterioso capitán holandés, que sorprendía a los barcos entre la niebla… y los hacía naufragar.

En la mente de todos estaba el susto del naufragio que pudo haber acabado con la vida del padre de Blanca.

—Bueno, sí... pero ¿qué dice el libro? —interrumpió Blanca.

—Pues todo eso... —se volvió David hacia ella—. Y que una vez Shanti Andía estuvo a punto de ahogarse por intentar llegar hasta los restos de una goleta que había naufragado...

—Bien... Pero ¿qué cuenta del plano ese libro?

—Del plano, nada... Del plano no dice nada —contestó David con intención de fastidiarla.

—Entonces, ¿qué has descubierto? —saltó ella ya nerviosa.

—Ya lo verás...

—A ver, David, di de una vez si sabes algo, o si no, te callas —le reprochó Yago.

—Tú no te metas —replicó él.

Las relaciones entre ellos eran cada vez menos amables. David se sentía desplazado por Blanca en la amistad que siempre había tenido con Yago. Y Blanca cada vez soportaba peor su actitud un poco infantil y chulesca.

—He descubierto algunas frases que están subrayadas con tinta roja —dijo David con cara de enfado.

Cogió el libro y lo abrió. Les leyó un texto que estaba recuadrado con tinta. En él se hablaba de «los hombres que saben a dónde van. Cada paso en el camino de la vida lo llevan contado y calculado. Son consecuentes como el acero de una brújula».

—Hombres que saben a dónde van... —repitió Yago.

—Sus pasos están contados y calculados... —se quedó pensativa Blanca.

—¡Son consecuentes como una brújula! Eso es lo importante —la interrumpió David desafiante—. ¿O no está claro?

—¿El qué? —intervino Fátima, que estaba un poco perdida.

—¡Todo! Mira este símbolo —le dijo, señalando en el margen de la página.

—Es el mismo dibujo que está en el plano —apuntó Blanca, mientras lo extendía para enseñárselo a los demás.

—¡Es una brújula! —exclamó David, que se sentía ufano por haber deducido algo que los demás empezaban a vislumbrar.

—Y en el baúl había una brújula —añadió Blanca, metiendo la mano en el bolsillo del abrigo para cogerla—. La brújula marca siempre el mismo rumbo. Es consecuente porque sigue una única dirección: siempre el norte.

—Pues eso... —intervino de nuevo David, con un tono retador—. Ya sabemos hacia dónde tenemos que contar los pasos.

—Vayamos entonces al molino —propuso Yago—, contemos los pasos siguiendo la dirección de la brújula, y a ver qué nos encontramos al final...

*

Llegaron sofocados al molino. Blanca vio que el portón de madera estaba entreabierto y se acercó para mirar en el interior.

—No está «el Turco» —les dijo a los demás, desde la puerta—. No hay nadie.

Sacó la brújula y la observó un rato atentamente. Esperó a que marcara el norte.

—Por allá —les señaló entonces a los tres.

Y sin más, comenzó a andar a grandes zancadas, mientras iba contando los pasos en voz alta. Los demás la siguieron, pero ella les dijo:

—Vosotros también tenéis que contar los pasos. Cada uno, según su medida. Hasta cuatrocientos.

Dieron media vuelta y echaron a correr hasta el molino. Desde allí empezaron a contar, todos a la vez. David se quedó retrasado y a ratos intentaba hacer los pasos más grandes, para acercarse a los demás. Blanca se volvió a gritarles:

—Cada uno tenéis que dar los pasos según la medida de vuestras piernas.

Ella les marcaba la dirección en la que había que caminar, siguiendo el rumbo de la brújula. Cruzaron un ribazo, en el que se amontonaban setos escuálidos reducidos a unos cuantos palos resecos y atravesaron un espacio rocoso. Cien pasos. Pasaron un campo con árboles sembrado de hojarasca. Doscientos pasos. Blanca esperó a que la alcanzaran los demás. David llegó el último.

—¡Doscientos dieciocho! —gritó al juntarse con todos.

Ninguno coincidía; y si seguían así, las diferencias los iban a llevar a lugares bien distanciados.

—Sigamos —les ordenó en cuanto estuvieron juntos.

Pasados los árboles, el terreno ascendía una leve pendiente, en la que crecían matas y pequeños arbustos. En mitad de la ladera, Blanca se paró. Trescientos pasos. Volvió a mirar la brújula y su flecha, que se balanceaba con el movimiento al andar. Esperó a que se estabilizara, manteniéndola quieta sobre la mano; y cuando la aguja señaló fijamente el norte, inició la marcha.

Nada más subir aquella pequeña ondulación del terreno, se detuvo en la cima. Allí comenzaba una pradera de hierba verde. Era un campo llano y un lugar tranquilo. Al fondo se veía el mar. Y el cielo lucía aquel día extrañamente azul.

Con ansiedad, siguió Blanca contando los pasos, hasta que vio que la dirección de la marcha la llevaba hacia un árbol que crecía en medio de aquella pradera. Era el único que había alrededor. Blanca contó los cuatrocientos pasos antes de llegar a él. Se paró entonces a unos metros y contempló aquel árbol sin hojas, que parecía un gigante de madera con brazos en todas las direcciones. Se acercó a él y pasó las manos por su tronco rugoso. Miró hacia arriba. En las puntas de las ramas querían abrirse los primeros brotes, pero el frío los tenía aún aletargados. Apoyó la espalda sobre la corteza y miró a los demás, que venían contando cada uno en voz alta. La medida de sus pasos no era la misma que la del maestro. Blanca pensó que aquel árbol tenía que ser una referencia, pero tenía una duda: ¿una forma tan imprecisa de medir servía para algo?

Cuando llegaron todos, se miraron con gesto interrogativo. Allí estaban; ¿y ahora qué?

—Busquemos alguna señal alrededor: una marca en el suelo, una piedra, unos palos clavados... ¡algo! —les dijo.

Se dispersaron en busca de un objeto incierto, pero no encontraron nada. Volvieron a reunirse desanimados junto al árbol. Blanca se sentó apoyando la espalda en el tronco rugoso. Desde allí se veía el horizonte hermoso del mar. Aquel paisaje serenaba el ánimo.

—Tiene que ser este árbol —comentó Blanca, que era tozuda y jamás se desanimaba.

Sacó el plano del bolsillo, lo desdobló, lo puso encima de la hierba y golpeó con el dedo índice en él.

—¿Lo veis? —dijo señalando el árbol solitario que estaba dibujado en él—. Tiene que ser este árbol.

σ

Tiempo de silencio

En la aldea se vivían aquellas semanas como un tiempo de espera.

—Esto es ya el final —comentaba el tendero cada día, dando el parte de las novedades que se habían producido en el frente y que él escuchaba en la única radio que había en el pueblo.

Pero el final no llegaba nunca y eso acrecentaba la ansiedad de las gentes de El Faro. El invierno estaba siendo áspero, con un frío extremo, que los ancianos de la aldea no recordaban desde hacía muchos años. Hubo noches en las que heló tanto que cuando Yago se levantó a la mañana siguiente encontró congelada el agua del balde que se había quedado en el portal.

Los habitantes del pueblo aguantaban aquellas temperaturas extremas. Estaban en un tiempo de espera. Necesitaban que en algún momento ocurriera algo que cambiara sus vidas y que pusiera fin a tanta incertidumbre.

Cuando Yago volvió a casa con las manos tiesas de frío y la cara roja, fue a calentarse a la cocina. Desde la puerta vio a su madre sentada en un taburete, con la cabeza entre las manos, y a su hermano con cara asustada agarrado a sus rodillas. Alzó ella la vista y al verlo, se levantó, fue hacia él, lo abrazó y comenzó un llanto contenido que conmovió a Yago. Sobre la mesa había una carta, con sellos oficiales y un membrete militar, que le había leído el cartero a su madre. Aquel impreso comunicaba fríamente la muerte del soldado Santiago Hernández Acebedo, su padre, alistado en el Regimiento de Infantería número 2. Eso era todo.

Fueron los días más tristes de su adolescencia. Durante aquellos días malditos encontró más de una vez a su madre llorosa, sola, sentada en la cama del matrimonio. La veía desde la puerta y no se atrevía a entrar. Ella se tapaba la cara con las manos y él la miraba sin saber qué hacer para darle consuelo. La oía gemir y le parecía como un perrillo abandonado. La oía llorar y sentía un escalofrío de pena que le recorría desde la espalda hasta los pies. No quería que ella lo viera allí bajo el dintel de la puerta, quieto como un pasmarote. Así que se daba media vuelta y se le humedecían los ojos, que ya no podían llorar más.

Los amigos de Yago iban cada día a su casa, pero estaban confusos y no sabían bien cómo debían comportarse. Blanca lo miraba y alguna vez le cogía la mano con afecto. Pero ¿cómo dar consuelo a quien acaban de matarle a su padre?

El farero se recuperó por fin de su enfermedad. Un día bajó a la aldea. No siguió el recorrido que hacía siempre, sino que por primera vez desde hacía muchos años recorrió un camino inusual. Cuando bajaba al pueblo, siempre iba directamente a la tienda. Compraba las provisiones para varias semanas y volvía por el mismo sitio, sin hablar con nadie. Ese día no fue a la tienda, porque había bajado solo para ver a Yago.

Lo encontró en la calle, aplanando con una azada las roderas que el barro seco había dejado frente a la puerta de su casa. Hacía un frío de mil demonios y Yago golpeaba con rabia la tierra helada, que saltaba en terrones duros como proyectiles. Al verlo, Yago se incorporó y se quedó quieto, con las manos sobre la azada. Bajó la vista al suelo, turbado, cuando el farero se acercó a él.

—Ahora tienes que ser fuerte... —le dijo, poniéndole la mano sobre el hombro.

Yago apretó los labios y asintió con un movimiento de cabeza. Para evitar derrumbarse y que se le humedecieran los ojos, comenzó a dar golpes con la punta de la bota al barro seco, para distraer las ganas de llorar. De esa forma, no vio cómo el farero se abría el cuello de la zamarra y sacaba el colgante que había llevado desde niño.

—Toma —le dijo—. Ahora es tuyo.

Le cogió la mano, se lo puso en la palma abierta y él mismo le cerró los dedos para que lo sostuviera apretado.

—Has de ser fuerte —le dijo otra vez.

Volvió a ponerle la mano sobre el hombro y estuvo así un instante, mirándolo en silencio. Yago tenía la cabeza inclinada hacia el suelo. Un escalofrío le recorrió la espalda como un rayo de pena, se le quedó atragantado en la garganta y no le dejaba hablar.

—Tienes toda la vida por delante... —añadió el farero.

Le apretó el hombro para que sintiera el abrazo de sus dedos, y mientras se daba la vuelta para marcharse, le susurró:

—Pronto pasará este invierno miserable; ya lo verás.

Yago se quedó quieto en medio de la calle, con el medallón en la mano, mirando a aquel hombre que se alejaba desafiando al frío con el gorro de lana en la cabeza y las manos agrietadas en los bolsillos de la pelliza. Lo estuvo mirando hasta que se perdió a lo lejos. Abrió entonces la mano para ver aquel medallón que era lo único que conservaba el farero de su madre y de su infancia. Entonces Yago no pudo resistir más el empuje de las lágrimas, y se le humedecieron los ojos.

τ

Unos ojos que espían

Yago sentía una extraña sensación desde hacía algún tiempo, pero a partir de la muerte de su padre fue más consciente de ello. Se notaba inquieto y desasosegado. Miraba su cuerpo cada vez más crecido y no se sentía cómodo. Como si la piel le apretujara el ánimo que se removía en su interior. Algo le estaba empujando dentro de sí, que le molestaba. Miraba el campo en las últimas semanas del invierno y observaba los brotes nuevos de los árboles, encogidos en las puntas de las ramas, esperando el aliento que les hiciera estallar de una vez y abrirse al mundo. Así se veía él: sin saber cómo ni por dónde desahogar unos sentimientos difusos que le tenían confundido.

Dejó de salir todas las mañanas a deambular por la costa con aquellos que habían sido sus amigos desde siempre. Ya no le divertía tirar piedras desde las rocas al fondo abismal del océano. Empezaron a parecerle demasiado infantiles los comentarios de David, y algunas tardes rehuía la compañía de quien había sido su amigo desde la infancia. Le apetecía quedarse solo y fantasear historias que hasta entonces nunca había imaginado. Deseaba la cercanía de alguien a quien ya no viera solo como acompañante de juegos escolares. Buscaba unos ojos en los que encontrar los suyos. Buscaba la mirada de Blanca. Y esos sentimientos le producían una extraña inquietud que no había conocido hasta entonces.

Nunca antes se había preocupado por lo que quería hacer en el futuro; ni había pensado en cómo había llegado a estar en donde estaba y hacia dónde debía dirigir los pasos. Pero desde hacía un tiempo pensaba en ello con ansiedad. Cuando le asaltaban esas dudas experimentaba una sensación de vértigo, como la persona que no siente el fondo bajo sus pies y bracea desesperada en medio del mar.

El grupo de los cuatro amigos ya no era compacto. Yago buscaba estar a solas con Blanca. A ella cada vez le gustaba menos David. Así que cuando se juntaban, acabaron no llamándolo. Y Fátima no quería seguir indagando el paradero del maestro. Con el paso de los días, Fátima y David quedaron desenganchados de la pandilla inicial de cuatro amigos. Blanca y Yago, sin hablar sobre ello, decidieron dejar a Fátima con su miedo y a David con su inmadurez y sus despistes. Y así, al cabo de un tiempo, el grupo se había deshecho.

Pasaron los días sin que nada nuevo viniera a añadirse a lo que sabían hasta entonces sobre la desaparición del maestro. El farero no les había dado ningún otro libro, ni habían vuelto a hablar con él sobre ese tema desde que estuvo enfermo. El caso parecía condenado al silencio. Y todo hubiera caído en el olvido si no hubiese sido por la tenacidad de Blanca y de Yago. Porque ellos sí que estaban decididos a seguir con la búsqueda, aunque fuera solos.

En su cuarto, Yago abrió el cajón de la mesa, sacó la libreta del maestro y estuvo un rato leyéndola de nuevo, hasta que se fijó en unos párrafos de cuyo sentido no se había percatado cuando los leyó por primera vez:

Un plano encierra un enigma. Es un misterio que hay que descifrar. Es lo que yo hago cada día; y de

*eso aprendo. Un plano es un mensaje que emplea
símbolos para revelar su significado oculto. Los libros, también. La escritura es un plano de símbolos.
La lectura consiste en desvelar el sentido que tienen.
Si no, el libro se convierte en un arcón de palabras
amontonadas.*

*Un plano sin resolver es un papel con garabatos.
Un libro que no se entiende es solo un bureo de voces.
Leer es descifrar un enigma.*

*En la primera página de un libro nos embarcamos
en una aventura, cuya meta es descubrir el secreto
que encierra. En cada página oímos la voz de quien lo
ha escrito, conocemos los peligros que le acechan,
compartimos sus sueños, escuchamos sus quejas, nave-
gamos mares revueltos, vemos morir gente a nuestro
alrededor, conocemos mujeres hermosas y, al final...
llegamos al pie de un árbol que esconde el secreto que
da sentido a todo.*

Al leer aquellas palabras, Yago cogió el abrigo, guardó la libreta en uno de los bolsillos y salió en busca de Blanca. Por el
camino pensaba qué podía significar aquel texto que se refería
al secreto escondido al pie de un árbol. Un árbol y un secreto
oculto debajo de la tierra. Un lugar en el que excavar.

Encontró a Blanca amontonando troncos de leña en la
puerta de su casa.

—Cojamos una azada y una pala —le dijo.

Estaba la mañana azul y el sol aliviaba el frío de los últimos
días de aquel invierno que se estaba alargando demasiado.
Cuando llegaron junto al árbol, de sus ramas salió una bandada de tordos que se alejaron espantados.

—Empecemos por aquí —sugirió Yago señalando la tierra que estaba al pie del tronco, en la dirección de la costa.

Estuvieron cavando un tiempo. Yago levantaba la tierra con la azada y Blanca la retiraba, haciendo un montón. La hierba parecía encogida por el frío y estaba mojada por la escarcha mañanera. La tierra se levantaba con facilidad, humedecida por las últimas lluvias. No parecía que hubiera sido removida hacía poco tiempo. Estaba blanda, pero compacta. Y las hierbas crecían uniformes en el suelo.

Cavaron un círculo alrededor del árbol. Yago intuía que al pie de aquel árbol se escondía un misterio. Todos los indicios los habían llevado hasta allí. Y allí estaban: con la pala, intentando cavar la tierra hasta llegar al infierno, si era necesario.

—Aquí no hay nada —comentó Blanca.

—Vamos a hacer el círculo más grande —indicó Yago.

Ampliaron el anillo otro metro. Al rato, estaban cansados y el esfuerzo no parecía conducir a ningún sitio. Yago se sentó recostado en el árbol y Blanca hizo lo mismo, junto a él.

Yago se estremeció al sentirla tan cerca. Miró hacia arriba y contempló el ramaje desnudo de aquel árbol solitario.

Aunque ellos no podían verlo, desde lejos los observaban unos ojos que espiaban con atención el trabajo que estaban haciendo. El árbol se alzaba en medio de la pradera. Era un árbol de gran porte, que medía casi veinte metros. No había nada alrededor, más que la llanura de hierba en la que había crecido. En la punta de dos ramas bajas se balanceaban los abrigos que ellos habían colgado, que parecían, contemplados desde la distancia, los harapos de dos hombres ahorcados en aquellas ramas. Al pie del tronco se amontonaba la tierra que habían sacado de la zanja. Y los dos allí sentados eran desde la lejanía las sombras de dos enterradores.

—¿Qué estamos buscando? —preguntó Blanca.

Yago volvió la cara para mirarla. Su rostro brillaba sobre el fondo azulado del cielo. Un halo de luz iluminaba los mechones rubios de su cabello. Yago se olvidó en ese momento del árbol, del maestro y de la zanja que estaban cavando. Ella le sonrió y volvió a preguntar:

—¿Qué habrá al otro lado de este mar, allá donde ni siquiera llega la vista?

—Otra costa como esta —dijo él.

—¿No has sentido alguna vez ganas de marcharte?

Yago la miró sorprendido.

—Yo quiero ser pescador —dijo él—. Quiero vivir en el mar.

—El mar es peligroso. Nunca lo vi tan claro hasta el accidente del Blancamar. Pensé que iba a quedarme sin padre.

Nada más decirlo, Blanca se arrepintió de haberle recordado a Yago su orfandad. Él agachó la cabeza, cogió un palo del suelo y empezó a enredar entre la tierra, para distraer los grises pensamientos que le asaltaban.

Blanca se arrimó a él, mientras seguía mirándole a los ojos con ternura. Acercó su rostro al suyo y juntó los labios con los de él. Fue un instante nada más, antes de retirarse como si un chispazo hubiera seguido al encuentro de las dos bocas. Aquel fue para los dos el primer beso, pero el roce de aquella piel blanda y humedecida se instaló para siempre en sus conciencias. Pasado el tiempo, él lo recordaría con la ternura entrañable con la que se recuerdan los días de la inocencia.

Desde lejos, unos ojos los miraban con atención. Un hombre protegido por los arbustos espiaba el trabajo de aquellos dos muchachos que habían cavado tenazmente la zanja.

υ

El lugar secreto

Tenían que cumplir su palabra. Tenían que volver al faro y devolver los objetos que les había dejado el farero. Se lo habían prometido. Así que Blanca y Yago cogieron la cuerda, el plano y la brújula, y se dirigieron los dos solos hacia la cima de los acantilados. Mientras subían, Blanca comentó:

—Cuando cogí la llave que abría el arcón de los libros, vi otra llave en la alacena. Y no era la que el farero nos ha enseñado siempre.

—¿Y eso qué importa? —se despreocupó él.

—Mucho. Porque esa llave tenía un letrero; ¿y sabes lo que ponía?

—¿El qué?

—Ponía EL FARO.

—Pero él nos dijo que esa llave era la que abría el baúl...

—Eso dijo; pero nos pudo mentir.

—Otra vez estás con lo mismo...

—Sí, porque el farero esconde algo. Nos distrae continuamente. No quiere contarnos todo lo que sabe.

—¿Y entonces, qué?

—Pues que puede ser el culpable de lo que le haya pasado al maestro.

Blanca lo dijo tajante. Y Yago, que sentía cada vez mayor simpatía hacia él, quiso salir en su defensa:

171

—Que nos oculte algo no quiere decir que el maestro desapareciera por su culpa.

—¿Por qué no?

—Porque a lo mejor lo que hace es protegerse a sí mismo. Simplemente.

—¿De quién?

—No lo sé —pensó repentinamente en su padre, y añadió—. De la guerra, de que vengan a buscarlo y se lo lleven... ¿Qué sé yo?

—Pues eso es lo que hay que averiguar —dijo Blanca—. Tenemos que saber qué es lo que oculta. Hay que registrar el faro.

—¿Cómo?

—No sé... Pero hay que buscar en cada rincón, hasta que lo encontremos.

Cuando llegaron al acantilado, vieron al farero sentado junto a la puerta, recostado junto a la pared, protegiéndose del aire frío.

—¿Qué habéis encontrado? —les preguntó al verlos llegar con los objetos que habían cogido del baúl.

Yago sentía una extraña sensación. La última vez que habían estado allí, el farero estaba enfermo. Y era para todos un hombre sospechoso. Ahora él llevaba colgado al cuello el medallón que le dio cuando supo que a su padre lo habían matado en la guerra. Y también tenía presente cómo ayudó a rescatar al padre de Blanca. Si no hubiera sido porque él recibió la llamada de auxilio y le indicó la posición exacta al barco que fue a remolcarlos, tal vez también su padre habría perecido en medio de la tormenta. Y sin embargo, Blanca no se fiaba del farero. Ella sacó el plano, lo puso sobre la roca y le explicó:

—Hemos seguido la brújula, siempre en la misma dirección, siempre hacia el norte. Hemos contado los pasos: cuatrocientos. Y hemos llegado hasta aquí, hasta este árbol.

El farero miró el plano con atención. Luego levantó la cabeza y dejó la mirada perdida en el horizonte.

—Es un olmo —dijo.

—¿Por qué lo sabes? —le preguntó Blanca.

—Os voy a contar algo —añadió, sin dejar de mirar al horizonte—. Hubo un hombre que vivía lejos de la tierra en la que había nacido, en una pequeña ciudad. Se hospedaba en una habitación que había alquilado a una familia. Estaba solo, hasta que conoció allí a una joven de dieciséis años de la que se enamoró apasionadamente. Ella también le quiso, y se casaron.

El farero permanecía quieto, sin volverse hacia ellos, con la mirada perdida en la lejanía.

—Es una historia vulgar —continuó hablando—; pero lo insólito ocurriría después, dos años más tarde, cuando esa muchacha, que se llamaba Leonor, se sintió enferma. Tenía los bronquios rotos y en ellos iba enredando la muerte su telaraña. El hombre que se había casado con ella vio un día del mes de mayo un olmo seco en el que habían renacido algunas hojas verdes. Entonces escribió un poema, mientras su joven mujer reposaba enferma de muerte en la cama. Ese poema estaba en el baúl; y en él el maestro subrayó una palabra, que es el árbol que habéis encontrado: un olmo.

Se volvió para mirar la impresión que sus palabras habían causado en ellos. Yago lo miraba atentamente. Blanca pensaba si alguna historia amorosa sería la causa que había desencadenado la repentina desaparición del maestro. El amor de una mujer... Una enfermedad... Un desengaño.

El farero sacó un libro de la zamarra que llevaba puesta y buscó entre sus páginas.

—Aquí está —dijo, y comenzó a leer:

Al olmo viejo, hendido por el rayo
y en su mitad podrido,
con las lluvias de abril y el sol de mayo,
algunas hojas verdes le han salido.
(…)
Antes que te derribe, olmo del Duero,
con su hacha el leñador, y el carpintero
te convierta en melena de campana,
lanza de carro o yugo de carreta;
antes que rojo en el hogar, mañana,
ardas de alguna mísera caseta,
al borde de un camino;
antes que te descuaje un torbellino
y tronche el soplo de las sierras blancas;
antes que el río hasta la mar te empuje
por valles y barrancas,
olmo, quiero anotar en mi cartera
la gracia de tu rama verdecida.
Mi corazón espera,
también, hacia la luz y hacia la vida,
otro milagro de la primavera.

—Ese milagro que esperaba no se produjo —concluyó el farero—; y su mujer murió dos meses más tarde. Él se llamaba
Antonio Machado. Cuando ella murió la enterraron en el cementerio del Espino, en Soria. Y no tenía más que diecinueve años.

El farero miró inquieto hacia el horizonte, como si le afectara la muerte de aquella mujer. Porque el farero hacía suyo el
amor perdido de Leonor. El de doña Inés. El de Julieta. Hacía
suyo el amor de todas las Melibeas que ha habido en el mundo. El de todas las mujeres que alguien amó un día. Pero ellos

no podían comprender entonces esos sentimientos. Solo les preocupaba encontrar el lugar secreto del plano que habían descubierto en el baúl.

—Un olmo... —dijo el farero, señalando de nuevo el plano—. Eso es lo que tenemos aquí, en medio del campo. Sabemos dónde está; pero no sabemos lo que esconde.

Nadie habló. Todos miraban el horizonte del mar. Yago pensaba en el hombre que había desaparecido misteriosamente. Había dejado en un baúl el rastro que tenían que seguir hasta encontrarlo. Y así habían llegado hasta el olmo. Pero ¿qué podían encontrar en ese paraje apartado de todos los caminos? ¿Una tumba? ¿Un refugio? ¿A un hombre escondido que había perdido la razón y la cordura? Estaba abstraído con esas preguntas cuando escuchó la voz del farero:

—Venid —les dijo, señalando la puerta del faro—. Os enseñaré algo.

Empujó la puerta de madera, que chirrió como si se abrieran los goznes oxidados de una mazmorra. Los dos lo siguieron. Yago quiso observar con atención cada detalle de la planta baja. Se fijó en la cocina de hierro, en la cuba de agua, en un taburete que había al lado de ella, en unos aparejos de pesca amontonados junto a la pared, en un viejo arcón que había bajo el arranque de las escaleras. Blanca le había transmitido la preocupación por indagar en cada uno de los objetos guardados en aquel edificio de piedra. Se volvió hacia ella, que iba detrás, y le hizo una señal para que mirara el arcón de madera. Algo podía esconderse en aquel arcón guardado debajo de los escalones. Pero no pudieron detenerse, porque el farero estaba subiendo ya las escaleras y desde uno de los peldaños de piedra se giró hacia ellos para observarlos desde allí.

Cuando estuvieron arriba, descubrieron que el farero había vaciado el baúl. Tenía la tapa abierta completamente, apoyada en la pared, y delante estaban los libros que habían leído, amontonados en el suelo, colocados unos encima de otros. En el lomo cada uno tenía grabada con tinta roja una letra griega: α, β, γ, δ, ε... y así hasta el final. Estaban ordenados siguiendo ese alfabeto. Cada uno era como un capítulo de una historia que estaba sin terminar. Al verlos, Yago volvió a preguntarse por qué el maestro se evaporó tan de repente, y por qué había dejado aquellas señales que delataban la sospecha de que sabía lo que le iba a ocurrir. ¿A quién denunciaban aquellas pruebas?

—Aquí está todo lo que tenemos —les dijo el farero.

Encima de la mesa había dejado cuatro libros separados de los demás. Eran los últimos que les quedaban por leer. Cogió uno de ellos y les comentó:

—He leído yo estos libros y he llegado a una conclusión.

Calló un momento y en la sala solo se oía el rumor del oleaje que chocaba contra las rocas.

—Este libro es de Juan Ramón Jiménez —habló de nuevo—. Me preguntaba por qué lo seleccionó el maestro. Y ya sé por qué. Juan Ramón Jiménez se propone escribir sobre aquello que es difícil de nombrar. Sus versos son una aproximación al misterio. Y eso es lo que nosotros tenemos en común con él: un secreto entre las manos. ¿Cómo contar lo que es un misterio? ¿Cómo hablar de la belleza? ¿Qué decir del universo? ¿Del infinito, de Dios, de la eternidad, de la nada...? Todo eso es inefable: no se puede nombrar con precisión. Y cualquier palabra que usemos para hablar de ello es una torpe aproximación al nombre exacto de las cosas. Juan Ramón se enfrenta en su poesía al misterio; como nosotros delante de este baúl, persiguiendo el rastro que dejó el maestro.

Calló el farero y vio cómo lo miraban los dos con atención. Levantó el libro en la mano y les dijo con su voz ronca y fuerte:

—El ser humano no es más que un montón de deseos... Y son muy pocos los que se consiguen hacer realidad...

Cuando callaba el farero, se oía en el cuarto la fuerza del mar que chocaba contra los acantilados. El mar sí que era eterno y poderoso. Morían las personas y naufragaban los barcos, pero aquellas aguas sobrevivían más allá del tiempo. El farero volvió a mirar el libro que tenía en la mano y añadió:

—El maestro dobló la esquina de una página de este libro, en la que hay un poema que habla de la desaparición de una persona:

... Y yo me iré. Y se quedarán los pájaros
cantando;
y se quedará mi huerto, con su verde árbol,
y con su pozo blanco.

Todas las tardes, el cielo será azul y plácido;
y tocarán, como esta tarde están tocando,
las campanas del campanario.

Se morirán aquellos que me amaron;
y el pueblo se hará nuevo cada año;
y en el rincón aquel de mi huerto florido y encalado,
mi espíritu errará, nostáljico...

Y yo me iré; y estaré solo, sin hogar, sin árbol
verde, sin pozo blanco,

sin cielo azul y plácido...
Y se quedarán los pájaros cantando.

Yago observaba al farero con atención, sorprendido por la semejanza entre lo que contaban esos versos y lo que había pasado en la aldea tras la desaparición del maestro. Durante un rato el silencio fue en aquella sala como una nube espesa que envolvía la incertidumbre de los que allí estaban congregados.

Luego el farero volvió a hablarles y les dijo que en los años veinte habían surgido una serie de autores que formaron un grupo poético.

—La Generación del 27 se llaman. El maestro dejó algunos libros de esos autores —les dijo—. Están aquí, con páginas marcadas y con palabras subrayadas en color rojo.

—¿Qué palabras? —preguntó Blanca.

—Ya lo verás —le contestó—. Ten un poco de paciencia... Son textos de Gerardo Diego, Jorge Guillén, Luis Cernuda, Vicente Aleixandre, Dámaso Alonso, Rafael Alberti, Federico García Lorca, Pedro Salinas...

El farero miró a Yago y miró a Blanca, antes de añadir:

—Salinas escribió unos poemas conmovedores sobre el amor. Dos de sus libros los tituló *La voz a ti debida* y *Razón de amor.*

Yago inclinó la cabeza para ocultar su turbación mirando al suelo. No iría a decir nada el farero de lo que solo sabían Blanca y él.

—Salinas habla en su poesía de la plenitud del amor —le oyó decir entonces—. Más allá del roce de dos cuerpos, el amor es una experiencia plena y jubilosa. Es un encuentro que trasciende la piel y da sentido a nuestro mundo.

Al levantar la vista, vio cómo el farero abría el segundo de los cuatro libros que estaban sobre la mesa y comenzó a leer:

Ayer te besé en los labios.
Te besé en los labios. Densos,
rojos. Fue un beso tan corto
que duró más que un relámpago,
que un milagro, más.
El tiempo
después de dártelo
no lo quise para nada
ya, para nada
lo había querido antes.
Se empezó, se acabó en él.
Hoy estoy besando un beso;
estoy solo con mis labios.
Los pongo
no en tu boca, no, ya no
—¿adónde se me ha escapado?—.
Los pongo en el beso que te di
ayer, en las bocas juntas
del beso que se besaron.
Y dura este beso más
que el silencio, que la luz.
Porque ya no es una carne
ni una boca lo que beso,
que se escapa, que me huye.
No.
Te estoy besando más lejos.

El farero se dio cuenta de cómo Blanca miró de reojo a Yago y cómo este volvió a bajar la cabeza con el rostro enrojecido. Cogió otro libro y se lo dio a Yago, que no había acabado de recuperarse de su rubor.

—Léelo cuando estés solo —le dijo.

Después miró a Blanca, que estaba sentada en el suelo, impaciente.

—Os contaré algo sobre un hombre que vivía como vosotros a la orilla del mar —les dijo, incorporándose y quedándose apoyado en la pared, junto a la lumbre—. En ese lugar pasó los años de su infancia, en una costa de sol y de marismas. El cielo era siempre azul, el agua limpia y las casas de los pescadores relucían blancas como el algodón. Aquel fue para él un paraíso. Allí vivió los años felices de la inocencia. Pero un día tuvo que marcharse. Todos algún día tenemos que marcharnos de los paisajes de la niñez. También vosotros abandonaréis un día la infancia. Algo empezará a cambiar, y seguramente entonces añoraréis estos años felices que ya los estáis dejando... aunque ahora no os dais cuenta de ello. Eso le pasó a aquel hombre. Y entonces escribió unos versos nostálgicos, alegres cuando recordaba aquel tiempo de inocencia; y melancólicos, si pensaba en la irreparable felicidad perdida. Se sentía descolocado, fuera de lugar, como un marinero en tierra, y ese hombre, que se llama Rafael Alberti, escribió versos como estos:

> Si mi voz muriera en tierra,
> llevadla al nivel del mar
> y dejadla en la ribera.
> Llevadla al nivel del mar
> y nombradla capitana
> de un blanco bajel de guerra.
> ¡Oh mi voz condecorada
> con la insignia marinera:
> sobre el corazón un ancla

y sobre el ancla una estrella
y sobre la estrella el viento
y sobre el viento la vela!

El farero volvió a sentarse y absorbió la pipa con fuerza. Inclinó la cabeza hacia atrás y sopló despacio el humo, mirando al techo.

—También al maestro le gustaba el mar —dijo—. Y soñaba con cruzarlo.

—¿Venía el maestro aquí, al faro, muchas veces? —preguntó Blanca, que estaba ya nerviosa.

—A veces venía —respondió el farero con una calculada imprecisión—. Se sentaba y perdía la vista a lo lejos, más allá de esas aguas embravecidas.

—¿Y cuándo fue la última vez que vino al faro? —insistió ella.

—Un domingo... —dudó un momento, como si hubiera sido imprudente comentar ese dato.

—¡El maestro desapareció un domingo! —exclamó Yago—. Nos dimos cuenta a la mañana siguiente, cuando no fue a abrir la escuela.

—¿Estuvo aquí el mismo día que desapareció? —volvió a interrogarle Blanca.

—Sí —reconoció el farero a disgusto.

—¿Y no dijo nada?

—¿De qué?

—De eso... —dudó Blanca.

—No, no dijo nada. Ni de que fuera a marcharse, ni de que pudiera ocurrirle algo.

Durante un rato, los tres estuvieron callados. En la sala hubo un silencio denso y compacto. La desconfianza se extendió como una niebla entre los adolescentes, que le miraban al farero con suspicacia. El maestro había estado allí el mismo día que desapareció. Él había sido la última persona que lo vio. Tal vez con vida; o tal vez muerto. Los dos se encontraban con frecuencia en aquel faro aislado del mundo. Él mismo lo había reconocido. De repente algo se había roto entre ellos. Una sombra de sospecha oscureció el faro, como si una nube se hubiera interpuesto delante del sol. El farero veía la desconfianza en los ojos de los dos muchachos. Había vuelto a ellos el temor de los primeros días. Pero la situación ya no era igual que entonces. Habían vivido juntos experiencias que no podían ignorar. Juntos habían conocido el dolor. Habían perdido a un padre. Se habían enfrentado a un accidente. Habían estado enfermos. El farero sabía sus amores. Estaba al tanto de sus envidias. Ellos lo habían cuidado cuando estuvo postrado en la cama. Y con ellos pudo hablar durante horas frente a la chimenea, porque ellos lo escuchaban. En esos meses confusos ellos fueron su única compañía. Pero aquel hombre solitario tenía un secreto que guardar. ¿Qué hacer cuando hay que decidir entre el agradecimiento y la prudencia?

—Venid —les dijo, repitiendo las palabras con las que los había llevado al faro—. Os enseñaré algo.

Se levantó y ellos hicieron lo mismo. Yago se volvió hacia Blanca y le hizo un gesto interrogativo, alzando las cejas. Ella no le respondió, porque estaba observando atenta cómo el farero se dirigía hacia las escaleras que subían al piso superior del faro. Nunca habían traspasado aquella frontera y desconocían qué había encima de esa sala.

Subieron los escalones pegados a la pared. El farero abrió una puerta demasiado baja, que tuvo que atravesarla inclinándose. Cuando entraron, se quedaron admirados en medio de aquella sala que tenía una cúpula y paredes de cristal. Si miraban a lo lejos, podían observar cómo el cielo se fundía con el agua, en un horizonte tan largo que podían apreciar la curvatura de la circunferencia de la tierra. Los dos contemplaban aquella visión deslumbrados, no solo por el asombro que les producía sentirse como si estuvieran colgados en el aire, sino por los fogonazos de luz que salían de un potente foco situado en el centro de la sala.

Sin embargo, no era eso lo que el farero quería mostrarles. Apartado en un extremo había un pequeño armario de madera. De la cerradura colgaba una llave que ninguno de los dos reconoció. Era la llave que habían encontrado en el cajón de la mesa del maestro en la escuela. La llave que Blanca descubrió después en el cajón de la alacena. Era parecida a la que abría el baúl de los libros; pero no era igual.

El farero se acercó, dio media vuelta a la llave y levantó la tapa del mueble. Ante ellos apareció un artilugio de clavijas, teclas y rollos de papel sobre los que se proyectaban unos alambres cuyas puntas taladraban los impulsos que transmitía el aparato.

—¿Qué es eso? —preguntó Blanca.

—Es un sistema de radio para captar señales. Lo usaba el maestro.

—¿Y qué hacía?

—Desde aquí interceptaba mensajes. No sé de qué, porque nunca me lo explicó. Recién llegado al pueblo, vino un día con el aparato. Me enseñó una orden militar con muchos sellos oficiales y firmas autógrafas. Me dijo que lo iba a instalar aquí y que yo no debía interferir en nada.

—Seguro que controlaba movimientos de barcos —aventuró Yago.

—¿Cómo funciona? —preguntó Blanca.

—No lo sé. Nunca me lo explicó. Era su secreto, y tenía que ver con la maldita guerra en la que llevamos ya casi tres años. Yo debía mantenerme ajeno a este aparato. Como si no existiera. Ni siquiera podía estar presente mientras él lo estaba utilizando. Después echaba el cerrojo y se llevaba la llave. En un maletín guardaba papeles que nunca me enseñó. Me dijo que cumplía órdenes militares y que él tenía que mantenerlo en secreto. Yo también. Y vosotros. Nadie más debe saberlo. No podéis contárselo a nadie.

El farero los miró a los dos, que asintieron en silencio con la cabeza. Después extendió sus brazos hacia ellos con las palmas vueltas hacia arriba. Yago fue el primero que puso sus manos encima, en señal de compromiso. Sobre las suyas se posaron suavemente las de Blanca, como una caricia.

—Si alguien rompe el secreto nos pone en peligro a todos —les dijo el farero—. La guerra acabará pronto, pero seguirá el miedo. Y vendrá un tiempo de silencio. Las palabras entonces pueden condenarnos. El primero, a mí. Pero confío en vosotros.

φ

La hora decisiva

Cuando bajaron de la cúpula acristalada del faro a la sala donde estaba la chimenea, los dos sentían un temor que no habían experimentado hasta entonces. Por primera vez eran conscientes de que algún peligro los acechaba. De repente se veían en medio de una contienda a la que habían llegado sin quererlo. Sentían el desconcierto de quien observa con asombro cómo sus pies empiezan a hundirse en un terreno pantanoso. Aquello no era un juego. La gente estaba muriendo en una guerra que ellos habían vivido hasta entonces desde la distancia. Aunque la muerte no les había sido ajena. Yago sabía bien el vacío que había dejado su padre en casa y conocía todo el desconsuelo que hay en la orfandad, cuando se tienen quince años y se pierde al padre para siempre. Pero ahora el peligro les acechaba a ellos mismos. Y el farero les exigía silencio.

—La desaparición del maestro está relacionada con el aparato de transmisión de mensajes que hemos visto... —les reveló.

—Alguien pudo haberle hecho desaparecer... —se asustó Blanca—. Tal vez esté muerto...

El farero se acercó a la mesa; ya solo quedaba un libro encima de ella.

—Mirad —les dijo—. Este libro tiene marcadas dos páginas. En una de ellas se cuenta la historia de un asesinato.

Abrió el libro y leyó:

Voces de muerte sonaron
cerca del Guadalquivir.
Voces antiguas que cercan
voz de clavel varonil.
Les clavó sobre las botas
mordiscos de jabalí.
En la lucha daba saltos
jabonados de delfín.
Bañó con sangre enemiga
su corbata carmesí,
pero eran cuatro puñales
y tuvo que sucumbir.
Cuando las estrellas clavan
rejones al agua gris,
cuando los erales sueñan
verónicas de alhelí,
voces de muerte sonaron
cerca del Guadalquivir.

—¡Es una pelea! —comentó Yago.

—Sí; es una pelea a muerte: cuatro hombres rodean a otro en un paraje solitario, cerca del río. Él se defiende como puede: escurriéndose de ellos como se escurre un jabón de las manos... Pero eran cuatro contra él y esa noche, mientras las estrellas se reflejaban en el agua y los toros dormían, cuatro hombres lo apuñalaron y lo dejaron agonizante.

Se quedó un instante en silencio.

—¿Sabéis quién escribió esta historia? —preguntó—. Un poeta que se llamaba Federico García Lorca. Y digo que se llamaba, porque ya está muerto. Lo detuvieron los primeros días de la guerra, una tarde, después de comer, sin que ni siquiera hubiese participado en la contienda. Lo detuvieron sin motivo, lo encerraron sin juicio en la cárcel y al amanecer del día siguiente lo llevaron a las afueras de un pueblo y lo fusilaron. Así son las guerras... Esa es su barbarie.

Calló el farero y en la sala se hizo un silencio inquietante, hasta que volvió a decir:

—En uno de los poemas de Lorca que está en este libro, el maestro subrayó con tinta roja uno de sus versos:

A las cinco de la tarde.
Eran las cinco en punto de la tarde.
Un niño trajo la blanca sábana
a las cinco de la tarde.
Una espuerta de cal ya prevenida
a las cinco de la tarde.
Lo demás era muerte y sólo muerte
a las cinco de la tarde.

—Y no hay más —les confesó—. Ya no os oculto nada. Ahora sé lo mismo que sabéis vosotros.

Blanca recordó que el camino dibujado en el plano acababa en un reloj similar al que estaba pintado en el libro junto al poema. Y que habían visto también ese signo en un poema de Quevedo que hablaba de la hora de la muerte. Se acercó al baúl, donde habían depositado de nuevo todos los objetos, y cogió el reloj de bolsillo. Abrió la tapa y se quedó estupefacta. El reloj estaba parado y las agujas marcaban esa hora fatídica: las cinco en punto.

X

Una sombra

La guerra le estaba cambiando la vida a Yago. ¿Por qué se matan los hombres? ¿Qué le lleva a uno a empuñar un fusil, cruzar la calle y pegar un tiro al vecino que vive enfrente?

Había quedado con Blanca para ir hacia el olmo, donde habían acordado encontrarse con el farero, y nada más verla, le preguntó:

—¿Llamamos a David y a Fátima para que vengan?

—Olvídate de ellos —contestó Blanca—. Fátima no quiere saber nada. Y David es un memo.

El farero les había dejado la cuerda que estaba en el baúl. Era larga y tenía diez nudos, separados por una misma medida, equivalente a un paso. Cuando llegaron al molino, Yago se colocó en la puerta aguantando la cuerda de un extremo, mientras Blanca caminaba en la dirección que había señalado la brújula, hasta que la cuerda quedó tirante. Aquella medida eran diez pasos. Después avanzó Yago, mientras ella permanecía parada. Así lo hicieron hasta que llegaron exactamente al pie del olmo. Medía cuatrocientos pasos justos; y esa era la confirmación de que la medida había sido correcta.

Junto al olmo los esperaba el farero. Y allí se quedaron los tres, en silencio, sentados en el suelo, recostados con la espalda en el árbol, sin saber qué hacer. El silencio pesaba como una losa en aquella pradera verde, que se extendía por encima del nivel del mar. No se movía nada, ni cruzaba un solo pájaro el cielo azul, en aquella tarde densa y silenciosa, mientras el sol moría junto a los acantilados. Hacía frío y todo el campo permanecía inmóvil y callado, como si esperara una desoladora revelación. El farero guardaba el plano en el bolsillo de la pelliza y miraba su reloj con curiosidad, esperando que marcara las cinco.

—Alguien viene —dijo Blanca, que se había vuelto y vio cómo se acercaba por la ladera un hombre desgarbado.

Todos giraron la cabeza y lo vieron andando torpemente hacia ellos. Era extraño, porque ese paraje no era lugar de paso de los pescadores ni tampoco de los leñadores que marchaban a trabajar al monte. Ningún camino conducía hacia allí y lo normal es que estuviera intransitado.

—Es «el Turco» —dijo en cuanto lo reconoció.

Cuando estuvo cerca pudieron distinguir que llevaba una manta cruzada desde el pecho hasta la espalda. Colgado sobre los hombros sujetaba un hatillo. Un gorro de lana negra lo tapaba hasta las cejas. Se cubría con un viejo abrigo de color aceituna, que relucía desgastado. Parecía un gabán militar sucio, que hubiera robado a algún soldado muerto.

—¿Qué buscar vosotros? —preguntó en cuanto estuvo cerca.

—Nada —le contestó el farero con sequedad—. Vete y déjanos en paz.

—Yo vi otro día tú y tú aquí, sacando tierra —dijo señalando a Blanca y a Yago.

Sonrió entonces y enseñó una boca ennegrecida, con los dientes amarillentos y carcomidos. Mirando a Blanca, comentó malicioso:

—El frío no es bueno para amar aquí.

Blanca se quedó desconcertada, pensando por qué sabía «el Turco» que ella y Yago se habían besado bajo las ramas de aquel olmo. Los había visto escondido entre la maleza, mientras ellos cavaban inútilmente. Y había espiado sus movimientos para ver qué estaban buscando.

—¿Adónde vas? —le preguntó con voz seca el farero.

—Camino al sur —respondió él—. Aquí mucho frío. Ya no guerra en el sur. Allí mejor.

—Pues que te vaya bien —le dijo como una despedida, invitándole a que siguiera su camino.

Él miró a Blanca otra vez y le sonrió con un gesto extraño, enseñando la deformación de sus dientes.

—Un día yo volver —dijo misteriosamente, dio media vuelta y se fue.

Se quedaron mirando cómo se alejaba. Andaba encorvado y parecía la sombra de la muerte.

—¿No sabrá algo del maestro? —preguntó Blanca.

—«El Turco» no estaba en el molino el día que el maestro desapareció —contestó el farero con seguridad—. No estaba en el pueblo. Aunque parezca la figura del diablo, «el Turco» no es mala persona. Es incapaz de hacer mal a nadie. No os preocupéis: él no sabe nada; ni tampoco le importa.

Cuando desapareció detrás de la pendiente, olvidaron a aquel hombre y volvieron a fijarse en el olmo solitario que crecía en medio de la pradera. Estaba atardeciendo y el cielo formaba líneas de color rojizo con el sol que se colaba entre las nubes deshilachadas. Las rocas brillaban con los rayos de luz. Y las sombras de los tres se proyectaban alargadas sobre la hierba.

El reloj en la muñeca del farero estaba a punto de marcar las cinco. Blanca se levantó de repente. Echó a correr, siguiendo la sombra del olmo. El sol se caía por el horizonte y proyectaba una larga sombra del árbol en el suelo. Moría la tarde y el crepúsculo envolvía con una niebla amarillenta aquel remanso que tenía una tranquilidad desasosegante y una luz pesada que producía turbación. La paz de aquel lugar era una paz de cementerio. Y allí tenía que haber una tumba, pensó Blanca.

—¡Hay que cavar aquí! —les gritó, señalando el punto donde llegaba la sombra del vértice del árbol, en aquella hora en que todo parecía estar muriendo.

Yago se levantó y fue corriendo hacia allí, con la azada en las manos. Empezó a cavar y el farero se acercó para retirar con la pala la tierra removida. Excavó un círculo amplio, que medía más de dos metros de diámetro; pero no apareció ninguna señal de que allí hubiera algo enterrado.

Una bandada de cuervos cruzó la ladera graznando con estrépito. Yago observó cómo atravesaban la colina en busca de algún refugio donde pasar la noche.

—Son pájaros de mal agüero... —comentó el hombre del faro—. Visten como enterradores. Son mensajeros de la muerte.

En ese momento el golpe de la azada que dio Yago sonó de una forma seca, y entre la tierra apareció una astilla rota. Yago se detuvo y se quedó mirando al farero. Este se acercó a él y le cogió la azada.

Cuando profundizó unos centímetros más, apareció una tabla de madera. Los tres se miraron con asombro. Al limpiar los restos de barro que la cubrían, vieron que estaba clavada a otras; y estas entre sí. Enseguida pudieron ver que era una caja de madera lo que estaba enterrado en aquel paraje solitario apartado del mundo.

Mientras el farero se afanaba por destaparla del todo, Blanca se preguntaba si sería un ataúd lo que estaban desenterrando. Ante sus ojos asombrados aparecía un cajón hecho con tablas sin pulir, de una madera clara similar al pino. Se acercó a Yago y se agarró a su brazo, atemorizada.

ψ

El cajón escondido

Ya nada iba a ser igual desde entonces para Blanca y para Yago. En aquellos meses fatídicos habían conocido cómo las gentes morían y mataban. Aprendieron lo que sufren los hombres que están solos. Supieron el sabor amargo de las lágrimas. Descubrieron el deseo. Habían visto lo que significa el gozo del amor y la pena del abandono. Desde entonces sabían más de la enfermedad y de la muerte. Y nada de eso se conoce en vano. Los tres se habían colocado alrededor del cajón de madera. Medía aproximadamente un metro en su lado más largo y apenas la mitad en el otro. Su altura era pequeña: no más de cuarenta centímetros. El farero desclavó de un golpe la tapa y levantó las maderas. Dejó la azada en el suelo y se inclinó para apartar las tablas desclavadas.

—El maestro sabía que la derrota estaba cerca —les dijo, mientras apalancaba una de las maderas—. Un día bajó de la linterna del faro con gesto de preocupación. No había recibido ninguna respuesta. Al día siguiente ocurrió lo mismo; y al otro; y al siguiente. Aguardó unos días más. Y entonces supo que todo estaba terminado.

Cuando el farero quitó la tapa, aparecieron en el interior del cajón unos paquetes envueltos en plásticos negros. Cogió uno de ellos y empezó a desenvolverlo. Al abrirlo, vieron unos rollos de papel con palabras y números escritos. El farero leyó:

—«Heinkel 45. Día 22. 5 unidades. Ataques en cadena».
Levantó la vista y los miró con ojos de asombro:

—¡Son aviones! —exclamó—. Es una táctica militar. Un avión hace una pasada sobre un objetivo y lo bombardea; tras él va otro; y después, otro. Cada uno vuelve al final de esa cadena y continúa lanzando bombas. El enemigo siente así una continua sensación de acoso, porque no hay tregua en los ataques.

—¿Pero qué significa eso? —preguntó Blanca.

—¿No lo veis? Son órdenes dirigidas a escuadras de aviones.

Y volviendo a mirar los papeles, leyó en voz alta otra anotación:

—«Bücker 131. Operación de reconocimiento».

—¿Órdenes que transmitía él? —preguntó Yago.

—No. Órdenes del bando contrario que él interceptaba. Las emitían cifradas, pero él las captaba desde el faro.

—¿Cómo? —insistió Yago.

—Con la estación de radio que vimos arriba.

—¿Y qué hacía?

—Resolvía el código en que estaban escritas, interpretaba los mensajes y se los transmitía a sus superiores.

—Así conocían los planes enemigos y podían combatirlos —dedujo Yago.

—Eso es —le confirmó el farero—. Y estos papeles tienen la transcripción de esos mensajes. Mirad —volvió a leer—. «Día 23. Fiat CR-32. Penetración Frente Norte. 10 cazas».

Cogió otro paquete y lo desenvolvió. En las hojas de papel había escritas listas de símbolos, guarismos y cifras ininteligibles.

—Estos serán los códigos que utilizaba —comentó el farero— O... los cálculos que hacía para descifrarlos.

Algunas hojas estaban llenas de tachaduras. Blanca se acercó para ver los textos escritos.

—Los mensajes los enviaría encriptados de nuevo... —comentó el farero, mientras hojeaba los papeles—. Y no todos conseguía entenderlos. Mirad en esta hoja las anotaciones que hay.

Les enseñó un texto con tachaduras, rectificaciones y numerosos interrogantes. «Pedro» fue lo único que Blanca entendió de todo lo que allí estaba escrito; y «Bacalao». ¿Pero qué significaba?

—Serán nombres en clave de algunos aviones —aventuró el farero—. La aviación ha sido muy importante en esta guerra.

Yago miraba todos aquellos papeles asombrado. En su imaginación veía volar aviones que descendían en picado y hacían estallar polvorines y almacenes de armas. Explotaban depósitos de combustible y las llamas ascendían al cielo formando una inmensa hoguera.

—Al maestro le gustaban los misterios —comentó el farero—. Esta fue su vida aquí en la aldea. La escuela era una tapadera. Todas las tardes subía al faro y se sentaba a analizar las transmisiones. Él estaba solo en el piso de arriba. Nunca le pregunté qué hacía. A veces sonaba el teclear del aparato. Al anochecer guardaba todo en su maletín y se marchaba. Nunca supe lo que escribió. Se lo llevaba todo.

—¿Y dónde estará él ahora? —preguntó Blanca.

El farero se quedó pensativo un momento antes de contestar:

—Un día me dijo que el final de la guerra era inminente. «Parece que se han ido todos», dijo. «Llamo pero al otro lado ya no hay nadie». «¿Qué vas a hacer?», le pregunté. Y él, mirando hacia el mar, suspiró. «Algún día me iré de este pueblo para siempre».

Una bandada de tordos cruzó el cielo del atardecer. Volaban desorientados. Iban hacia el mar, pero giraron bruscamente y recorrieron el cielo de un lado a otro, sin saber a dónde dirigirse ni dónde posarse.

—Cuando oí que el maestro había desaparecido del pueblo, pensé en los transmisores. Subí a verlos y los encontré trancados. No sabía si debía deshacerme de ellos o guardarlos por si aparecía alguien reclamándolos. Podía haberlos roto a hachazos y despeñarlos por el acantilado, para que se perdieran en las profundidades del mar. Pero dudé. Y entonces aparecisteis vosotros con la llave.

—Claro... —intervino Blanca—. Aquella llave no abría el arcón de los libros.

—No. Yo os la cambié. Tenía miedo de que se supiera en el pueblo que esos radiotransmisores estaban en el faro.

—¿Y los libros?

—Los subió el maestro. «Guárdame este baúl», me dijo. «No quiero que se estropee en la escuela». Me enseñó su contenido: unos libros, una brújula, un reloj estropeado... No le di más importancia. Me dio la llave y ahí se quedó todo. No sospeché que escondían también mensajes en clave.

—¿Y por qué lo haría?

—Seguramente no quiso destruir estos papeles, para que quedara constancia de lo que ocurrió. Somos historia. Somos también pasado. Somos memoria. Y todos estos papeles son un testimonio de a dónde conduce la discordia.

—Podía haberlos dejado sin más, en vez de enterrarlos —intervino Yago.

—Entonces se conocerían las actividades de escucha que se hicieron en este pueblo. Y eso nos comprometía a todos. Nos ponía en peligro: las guerras arrastran venganzas y revanchas.

Volvieron a sobrevolar sus cabezas los tordos, que parecían aturdidos y en desbandada. Si ellos, que miraban asombrados los papeles del cajón, hubieran tenido la facultad de desplazarse en un momento a cientos de kilómetros de allí, habrían visto cómo salían por la frontera, también en desbandada, hileras de hombres que marchaban arrastrando la derrota. Gentes acosadas por la fatiga y el hambre, que llevaban en una maleta todo su pasado.

—El mundo del maestro estaba hecho de mensajes en clave —comentó el farero—. Un día me dijo: «Esconderé todo mi pasado. Lo esconderé donde nadie lo vea. Ni tú sabrás dónde lo dejo. Lo enterraré en el monte». No supe a qué se refería, pero le comenté: «Eso será como haberlo quemado. Pasará el tiempo y nadie sabrá ni que existió». «No; porque dejaré alguna señal. Todos dejamos rastros de lo que hacemos. Algún día alguien encontrará un cabo suelto. Tirando de él podrá desenredar la madeja. Y todos conocerán lo que se hizo».

—¿Pensaba que nadie iba a indagar en ello hasta que terminara la guerra? —preguntó Blanca.

—Seguramente. Y entonces ya habría pasado todo. Y esto no sería más que un testimonio del pasado: el recuerdo de algo terrible que evite repetir algún día la misma vergüenza.

—¿Y qué hacemos ahora? —preguntó Yago.

—Dejaremos este cajón en el faro, oculto en cualquier arcón. No diremos nada a nadie. Algún día alguien lo encontrará, como era el deseo del maestro. Nosotros estamos obligados a callar. Si no lo hacéis así, me ponéis en peligro. Seré acusado de cómplice.

ω

Un mensaje en la botella

He caminado por las rocas del acantilado, sorteando las piedras puntiagudas y saltando las grietas que se abren entre ellas. Bajo mis pies hay un abismo, que se precipita hacia el mar: son los profundos cortados que tanto me impresionaron en la infancia. Las olas chocan abajo con el mismo estruendo que recuerdo de entonces. He llegado hasta el faro y he visto las paredes desconchadas, en las que ha hecho mella el paso del tiempo. Me he acercado a la puerta y la he empujado con fuerza, pero estaba trancada. Me hubiera gustado ver de nuevo, después de tantos años, aquella sala en la que perseguimos las huellas del maestro desaparecido, con la ayuda de un hombre desengañado. Pero no he podido ver aquel salón circular con la chimenea que calentaba un poco el gélido aire del invierno; ni el banco de piedra desde el que escuchábamos asustados la voz áspera del farero. Y no he podido contemplar tampoco el horizonte del mar desde los ojos circulares de las cuatro ventanas del faro abiertas a los cuatro puntos cardinales.

Así que he caminado alrededor de la torre que se levanta desafiante sobre las rocas, entre la tierra y el mar. Me he detenido en un peñasco y he mirado al interior de la costa, hacia la tierra, para contemplar las colinas que protegen el pueblo de la furia de las mareas. Los bosques reverdecen con el aliento de la primavera y los campos estallan verdes de vida. Me he vuelto hacia el

mar y al aspirar el olor salino de la brisa han regresado a mi
memoria antiguas sensaciones que creía olvidadas. ¡Hacía tanto tiempo que no contemplaba este paisaje!

El viento sigue siendo aquí tan fuerte que noto sus golpes
de humedad en las piernas, cuando azota mis pantalones va-
queros y agita la camisa blanca como si estuviera ondeando
una bandera.

Me he sentado junto al faro, mirando al mar, y he rebusca-
do en el interior de la mochila, hasta encontrar la libreta que
conservo desde entonces. La he abierto, he pasado algunas
hojas y han regresado a mi memoria imágenes de aquellos
días lejanos de la adolescencia. He abierto una de sus últimas
páginas y he leído:

*Los libros van trazando el plano de nuestra vida.
En ellos están todos los secretos. Yo soy los libros que
he leído. Me reconozco en ellos. Sé lo que soy, leyendo. Me conozco mejor. Aprendo algo de mí mismo.
Porque todos los libros hablan de mí.*

*Uno se lee a sí mismo cuando está leyendo. No
leemos la vida de los otros, sino nuestra propia
vida. En cada libro yo leo mis miedos, mis sueños,
los amores que nunca tuve, los amores que algún
día quise tener, los viajes que hice, y los que quise
hacer y los que no haré jamás. En ellos están algunos de mis más íntimos deseos. Reconozco en sus
páginas mis vicios ocultos, mis vergonzosas malda-
des. Las bajezas de muchos personajes de las novelas que he leído son mis propias bajezas. Y sus sentimientos nobles son también, a veces, mis propios
sentimientos.*

Al leer me leo a mí mismo: contradictorio, lleno de dudas y de rincones que son como habitaciones sombrías. Recuerdo escenas olvidadas del pasado, evoco sentimientos que tuve de niño, olfateo antiguos olores, revivo experiencias que creía perdidas en el olvido. La lectura alienta en mí ilusiones en los momentos tristes, alimenta sueños y me mantiene la esperanza.

He levantado la vista para mirar hacia el horizonte, donde se funden el misterio azul del cielo y las aguas sin fondo del mar. Ya no recuerdo la voz del maestro que escribió estas páginas. Su timbre es un sonido extraviado en los recovecos de mi memoria. Pero al leerlas siento la nostalgia de una edad perdida, que era el tiempo de la inocencia. Confuso, he vuelto a leer:

Sin la literatura no sabríamos lo que somos. La historia de todos nosotros está en los libros. En ellos nos encontramos.

He cerrado la libreta y he estado un momento mirando el faro, que ya no lo habita nadie. Sigue emitiendo señales para que los barcos no rasguen sus cascos al chocar contra las rocas escondidas bajo la marea. Pero los nuevos sistemas electrónicos hacen innecesario que en él viva alguien permanentemente. He pensado en el último farero que lo habitó, el único que yo he conocido. Supimos guardar su secreto. Ninguno reveló su complicidad con los mensajes que desde allí interceptaba el maestro durante la Guerra Civil. Ahora son otros tiempos. Hasta hoy hemos guardado silencio, pero ya no es necesario callar.

Las órdenes impresas de la guerra están recopiladas en los archivos. He comprobado que los papeles del faro están en el Archivo General de la Guerra Civil, en Salamanca. No sé cómo ni cuándo han llegado allí, pero allí están. Yo mismo fui a verlos, empujado por la nostalgia. Solicité fotocopia de alguna página, como si de esa manera pudiera recuperar las emociones de un tiempo que he perdido para siempre.

Sentado en las rocas del acantilado, he sacado de la mochila esas hojas que evocan imágenes de un tiempo que trajo años de destrucción y de espanto:

> «Messerschmitt Me-109E. Depósitos de combustible. Aeródromo B2. Grupo H-1. Legión Cóndor.
>
> Breda 65. Inutilizar las comunicaciones. 3 aparatos. Escuadrón Negro».

Leer aquellos nombres, que para mí siguen teniendo un significado incierto, me ha traído a la memoria la voz ronca del farero cuando nos convocó alrededor del cajón que habíamos desenterrado. ¡Desde entonces han transcurrido tantos años y han pasado tantas cosas...!

En la mochila tengo el libro que me entregó en el faro la última tarde que estuvimos allí reunidos con él. «Léelo cuando estés solo», me dijo. Y desde entonces aquel libro ha estado siempre conmigo. Me trae el recuerdo de mi niñez y las imágenes difusas de un tiempo en el que aprendí a crecer en medio de las contradicciones. *El rayo que no cesa* se titula. Pienso en su autor, Miguel Hernández, un hombre humilde, un pastor de cabras, que vivió en días precarios y de barbarie. Conoció el hambre, las dudas, los días de zozobra, las embestidas del deseo, la amistad y la guerra. Supo lo que es ver morir a un hijo niño, sufrir solo en la cárcel y sentir el abandono en la enfermedad.

He abierto ese libro que tiene ya las hojas amarillentas y sus bordes desgastados por el uso. Miguel Hernández tuvo un amigo desde su infancia que se llamaba Ramón Sijé. Era poeta como él. Si hubiera vivido durante la guerra, seguramente se habría alineado en el bando de los rebeldes. Pero murió unos meses antes de que la barbarie creciera en los míseros campos de barbecho. Miguel Hernández combatió enfrente, con los leales a la República. Y murió años después, en la cárcel, de tuberculosis, como prisionero de guerra. Entre sus libros dejó unos versos doloridos, escritos en 1936, tras la muerte de su amigo, que representan para mí el llanto de aquellos días inclementes de mi adolescencia. El llanto de tantas muertes fratricidas.

Al coger ese libro que me entregó el farero, una racha de viento ha llegado desde el mar y me ha agitado con furia los cabellos. Los he apartado de la frente para poder leer:

(En Orihuela, su pueblo y el mío, se me ha muerto
como del rayo Ramón Sijé, con quien tanto quería).

He vuelto a recordar ese poema que conozco de memoria, en el que Miguel Hernández maldice con rabia a la muerte y se dirige al final a su amigo desaparecido, con un aliento de esperanza:

A las aladas almas de las rosas
del almendro de nata te requiero,
que tenemos que hablar de muchas cosas,
compañero del alma, compañero.

Miguel Hernández y Ramón Sijé eran dos personas muy diferentes. Pensaban de distinta manera; pero se respetaban; y el afecto entre ellos estuvo por encima de cualquier diferencia. He levantado la cabeza para mirar al horizonte. Los cirros blancos cruzan lentamente el cielo sobre el mar, como si quisieran borrar para siempre el dolor que trajeron aquellos días turbulentos. El Faro es un pueblo muy distinto del que dejé hace tantos años... Las casas han recuperado el blanco de la cal y la solidez de las piedras de estas tierras rocosas. Un pequeño puerto con espigones nuevos sirve de atraque para los barcos que salen cada día a pescar. Los viejos caminos de los montes han sido asfaltados y por ellos transitan camiones con los troncos talados que impulsan una floreciente industria maderera. El Faro ya no es la aldea aislada en la que viví con un grupo de amigos los años inquietos de la adolescencia.

Tampoco ellos siguen ya aquí. Fátima se casó con un pescador de un pueblo cercano y vive desde entonces rodeada de hijos, esperando cada día que él vuelva sin mal de la pesca. David dirige varios comercios textiles que proveen las batas a los escolares de toda la región. Es un comercio seguro, y al avispado David le va bien en ese negocio. Blanca... Al pensar en ella, percibo la inquietud de los primeros afectos como un lejano recuerdo. Ha pasado mucho tiempo, y solo puedo evocar levemente el desconcierto de aquellos días, cuando comencé a conocer el ingobernable desasosiego del amor... A Blanca la enviaron a estudiar interna en un colegio regentado por una orden religiosa. Fue unos meses más tarde de que terminara la guerra. Cuando me lo dijo, sentí que me quedaba solo. La vida me iba quitando aquellas personas a las que quería. Con los años he aprendido a aceptar que el tiempo nos quita unas cosas y nos da otras. Blanca hace años que enseña Filosofía en un instituto de una ciudad lejana.

Del farero no volvimos a saber nada desde el día que dejamos en el faro el cajón con los documentos que habíamos desenterrado. Desapareció también. Nadie supo nada de su paradero y solo nosotros conocíamos las verdaderas razones de su espantada. Todavía llevo el colgante que me regaló...

Del maestro aún se recuerda en El Faro su repentina desaparición. Es una de esas historias que han quedado en la memoria de todos. Nadie volvió a saber nada de él. Su ausencia sigue siendo un misterio en el pueblo. Y su historia está unida al recuerdo de un invierno inhóspito.

En aquel invierno aprendí que las personas necesitan explicarse: contar su mundo; decir sus dudas y sus deseos; e indagar en su propia vida. Y fue entonces cuando realmente me hice escritor, aunque comenzara a publicar libros años más tarde.

Ahora estoy sentado en una de las rocas al borde del acantilado, igual que lo hice tantas veces cuando era niño. Mientras el viento agita con furia mi pelo y ondea mi camisa, pienso que la literatura también es terapia: la catarsis que nos cura. Junto al faro he vuelto a recordar mi infancia, un tiempo feliz a pesar de todo, que se me fue de las manos sin que me diera cuenta, como se escurre el agua entre los dedos.

Sé que cada libro es una carta que alguien escribe. A veces, una señal de socorro: un mensaje lanzado al mar con la esperanza de que alguien lo lea. Antes de marcharme de estos peñascos en los que viví los años de la inocencia, he sacado de la mochila una botella de cristal verde que he traído hasta aquí y un montón de folios escritos a mano. He enrollado los papeles, los he metido dentro de la botella y la he tapado herméticamente con una bola de cera. Me he puesto de pie frente al mar y he lanzado la botella al agua, lejos. Si alguna vez encontráis en una playa una botella con unos papeles dentro, reconoceréis si es la que yo he tirado desde las rocas porque a través del cristal puede leerse, escrita con grandes letras rojas, esta inscripción: EL FARO DE LOS ACANTILADOS.